FREUT MICH!

German for Business

Paul Hartley

Language Consultants:
Fritz Berger and Renate Bohne-Berger

Pitman Publishing
128 Long Acre, London WC2E 9AN

A Division of Longman Group Limited

First published in 1993

A CIP catalogue record for this book can be obtained from the British Library.

ISBN 0 273 60136 9

10 9 8 7 6 5 4 3 2

Typeset by PanTek Arts, Maidstone
Printed and bound in Great Britain by Clays Ltd, St Ives plc

The publisher's policy is to use **paper manufactured from sustainable forests**

Contents

Introduction

The aim of the course

This course is designed for students with no previous knowledge of German, or who have studied German at a basic level at some time previously and whose skills are in need of refreshing. It is for those who require competence in German with a business focus, and is therefore aimed at students studying the German language as part of a Business Studies course, or on one of the increasing number of Institution-Wide Language Programmes in Higher or Further Education. Those preparing for business-orientated German language examinations of the Institute of Linguists, RSA and other examining bodies will find it especially suitable for their needs.

The book is not intended to be a self-taught course, but requires the input of a teacher. In terms of structural competence in the language, it moves quite quickly, and as such is intended for the serious student of the language rather than the casual or occasional learner.

The course structure

The book consists of a core of eight units, each of which has a particular content focus indicated by the unit title. The business focus and orientation increases as the book progresses: there is in the very early stages little difference between the use of language in 'business' and its use in basic survival situations. The core units are supplemented at the end of the book by a further two units: one on common social situations, the other on business letters in German. These can be used as and when the teacher feels that the students have reached the appropriate stage of competence.

The book is complemented by a series of recordings of the dialogues and of many of the texts in the units. The recordings are in many cases directly integrated with exercises in the book. They may also be used as aural comprehension exercises in their own right, and for pronunciation practice.

The book also contains a structured grammatical thread, with exposition of key points in the appropriate units, linked exercises, and a grammar reference section at the end of the book. This approach to the teaching and learning of grammar should aid the acquisition of a working knowledge of the basic structures of the language. In terms of grammatical competence, students who complete the book and are able to handle the structures practised will be at a level beyond GCSE.

The structure of the units

Each unit contains the following:

- dialogues or recorded texts
- related written or taped exercises
- a section on language structures
- exercises related to the language structures
- a 'Talking Business' section
- a summative assignment, which usually consists of several tasks
- a short glossary of the key terms met in the unit

The 'Talking Business' section centres around the day-to-day activities of an imaginary German company, and introduces the student to such situations as meeting representatives from other companies, arranging meetings, conducting simple job interviews, and making arrangements for a trade fair. The summative assignment at the end of each unit similarly has a business focus and draws on the situations and the structures explored in the 'Talking Business' section.

The clear structure of the course, and the fact that Units 1 to 8 follow the same internal structure , is intended to aid both student and teacher in using the book systematically and effectively.

How to use the course

Teachers will wish to make use of the materials in the book and on tape in a variety of ways, and the following tips are therefore not intended to be prescriptive. They are more by way of an indication of a possible approach.

The dialogues/taped texts

It is suggested that the students, wherever possible, listen to the taped material in each case before reading the dialogue or text in the book. This will aid aural comprehension skills. As a next stage, the listening can be done with the written form in front of the student, before proceeding to work on the linked exercises. In several cases, there is material on tape which is not transcribed in the book, and this is designed to systematically test the student's skills in understanding the spoken language.

A variety of exercises, ranging from role-play to language manipulation, are linked to the dialogues and texts, and these should be completed in the sequence in which they occur in the book. Many of the exercises which test comprehension require responses in German. It may be advisable for some students to attempt these in English in the early stages until they feel more confident.

The language structure section

The language structure section and the related exercises can be done at any stage during the unit. They are not intended to be dealt with in each case after completion of the other exercises: they are grouped together simply for convenience. The decision as to when each exposition section and each exercise should be attempted is best left to the teacher in each case.

The 'Talking Business' section

The various parts of this should be worked through in the sequence in which they occur in the book, as they are closely interdependent. It may be better to work through the whole of this section as a complete unit, but it is of course possible to intersperse this with other work.

The assignment

This should be completed after all other work on the unit has been finished. It enables the student to practise skills, vocabulary and structures which have been introduced during the unit.

Acknowledgments

I wish to thank in particular Fritz Berger and Renate Bohne-Berger, who acted as language consultants. Thanks are also due to numerous people in the town of Vreden, Germany, who willingly gave up their time to be interviewed, their interviews forming the basis of several of the dialogues in the book. I also wish to thank Marie-Ann Rijs, Languages Editor at Pitman Publishing, for her constructive criticism and her many helpful suggestions during the preparation of this course.

Unit 1

INTRODUCTIONS

You will learn to:

- Introduce yourself
- Talk about yourself
- Ask people for information
- Use the present tense of regular verbs

Dialoge

TALKING ABOUT YOURSELF

 **1A** *A German student describes himself.*

Guten Tag. Ich heiße Johann Dietrich. Ich bin 20, und ich komme aus Hannover. Ich wohne in Hamburg, und ich studiere dort. Ich studiere Englisch und Deutsch. Ich habe eine Wohnung in Hamburg. Die Wohnung ist klein aber gemütlich.

ich heiße	my name is
ich bin	I am
ich komme aus	I come from
dort	there
die Wohnung	flat
gemütlich	cosy, nice

 **1B** *A German worker.*

Guten Tag. Mein Name ist Jürgen Noll. Ich komme aus Dortmund, aber ich wohne jetzt in Essen. Ich bin Kellner. Ich arbeite von 8 Uhr bis 18 Uhr. Ich habe eine Wohnung in Essen. Die Wohnung ist ziemlich groß.

Kellner	waiter
ich arbeite	I work

 **1C** *A secretary.*

Guten Tag. Ich heiße Charlotte Bauer. Ich komme aus Dresden, und ich arbeite jetzt in Regensburg. Ich bin 20 Jahre alt, und ich bin Sekretärin. Ich verdiene 5 000 Mark pro Monat. Ich habe eine Wohnung in Barbing – das ist nicht weit von Regensburg. Ich habe auch ein Auto. Ich fahre jeden Tag nach Regensburg. Ich arbeite von 8 Uhr bis 17 Uhr.

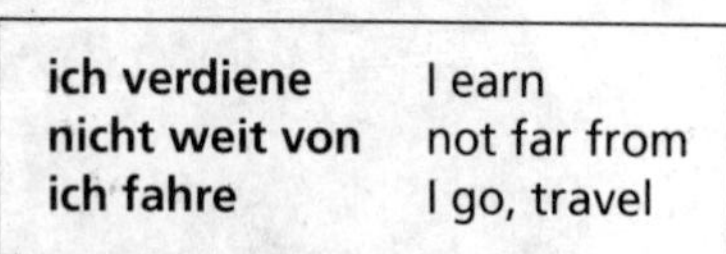

ich verdiene	I earn
nicht weit von	not far from
ich fahre	I go, travel

In the following dialogues, the people who have just introduced themselves are being interviewed.

 **1D** *Der Student*

woher	where from
wo	where

Interviewer: Wie heißen Sie?
Johann: Ich heiße Johann Dietrich.
Interviewer: Woher kommen Sie?
Johann: Ich komme aus München.
Interviewer: Wo wohnen Sie jetzt?
Johann: Ich wohne in Hamburg.
Interviewer: Was machen Sie in Hamburg?
Johann: Ich bin Student.
Interviewer: Und was studieren Sie?
Johann: Ich studiere Englisch und Deutsch.
Interviewer: Haben Sie eine Wohnung?
Johann: Ja, ich habe eine Wohnung in Hamburg.
Interviewer: Ist die Wohnung groß oder klein?
Johann: Die Wohnung ist klein und gemütlich.

Übungen

1 *Give your own responses to the following questions:*

(i) Wie heißen Sie?
(ii) Woher kommen Sie?
(iii) Wo wohnen Sie?
(iv) Wo arbeiten Sie?

2 *Working in pairs, introduce yourselves to each other, giving details of*

- name
- where you come from
- where you live.

 **1E** *Der Kellner*

Interviewer: Guten Tag. Wie heißen Sie, bitte?
Jürgen: Mein Name ist Jürgen Noll.
Interviewer: Woher kommen Sie?
Jürgen: Ich komme aus Dortmund.
Interviewer: Wohnen Sie in Dortmund?

Jürgen: Nein, nicht mehr. Ich wohne jetzt in Essen.
Interviewer: Was machen Sie in Essen?
Jürgen: Ich bin Kellner.
Interviewer: Und wie lange arbeiten Sie jeden Tag?
Jürgen: Ich arbeite von 8 Uhr bis 18 Uhr. Manchmal von 12 Uhr bis 20 Uhr.
Interviewer: Wo ist das Restaurant?
Jürgen: Das Restaurant ist in Essen.

manchmal	sometimes

1F *Die Sekretärin.*

Interviewer: Guten Tag.
Charlotte: Guten Tag.
Interviewer: Wie heißen Sie?
Charlotte: Ich heiße Charlotte Bauer.
Interviewer: Wo wohnen Sie?
Charlotte: Ich wohne hier in Regensburg.
Interviewer: Und woher kommen Sie?
Charlotte: Ich komme aus Dresden.
Interviewer: Was machen Sie hier in Regensburg?
Charlotte: Ich arbeite hier. Ich bin Sekretärin.
Interviewer: Wo arbeiten Sie?
Charlotte: Ich arbeite bei Detering AG. Detering ist eine Maschinenbaufirma in Regensburg.
Interviewer: Was verdienen Sie?
Charlotte: Ich verdiene 5 000 Mark pro Monat.
Interviewer: Haben Sie ein Auto?
Charlotte: Ja, ich habe ein Auto. Ich fahre jeden Tag nach Regensburg.

bei	at (a company)
AG (Aktiengesellschaft)	joint stock company
die Maschinenbaufirma	engineering company

Übungen

3 *Working in pairs (one as interviewer, the other as interviewee), perform role-plays based on the outlines below:*

(i) Hans Friedel. 20 years old. Comes from Frankfurt. Lives in Gießen. Student. Studies German.

(ii) Ulrike Hensch. Student (= **Studentin**). Comes from Hannover. Lives in Hildesheim. Studies history (= **Geschichte**). Has a small flat.
(iii) Ute Brenner. Manageress (= **Leiterin**). Works in Trier, but comes from Saarbrücken. Lives in Saarbrücken. Drives to Trier every day. Earns 7 000 Marks per month.
(iv) Jürgen Pfahler. Representative (= **Vertreter**). Comes from Stuttgart and lives there. Works in Sindelfingen, not far from Stuttgart. Has a car, and drives to Sindelfingen each day. Earns 9 000 Marks per month.

4 *Write a short description of yourself, using the vocabulary and structures you have met so far. You may need to make use of the dictionary for some vocabulary. Keep the description simple and straightforward at this stage.*

1G **5** *Listen to the dialogue on tape in which Markus Kempten describes what he does in his free time. You should then answer the questions below:*

(i) Markus studies in ...
(ii) His subjects are ... and ...
(iii) His parents live in ...
(iv) In summer he plays ...
(v) He collects stamps and coins, and he ...

The following words will be helpful to you.

besuchen	to visit
Sport treiben	to do sport
manchmal	sometimes
Eltern	parents
sammeln	to collect

1H **6** *Listen to the dialogue in which Herr and Frau Kirchner are interviewed, then answer the following questions:*

(i) Where are Herr and Frau Kirchner from?
(ii) Why are they in Heidelberg?
(iii) How long is the journey from home to Heidelberg?
(iv) What does Herr Kirchner do for a living?
(v) Where does he work?

Die Familie Kirchner

Herr und Frau Kirchner wohnen in Bochum. Bochum ist eine Industriestadt im Ruhrgebiet. Herr Kirchner ist 55 Jahre alt und Frau Kirchner ist 54. Sie haben eine Tochter, Ursula, und einen Sohn, Wolfgang. Ursula ist 25 und ist verheiratet. Sie wohnt in Bochum und arbeitet in Essen als Angestellte. Sie arbeitet von 8 bis 17 Uhr und hat eine Mittagspause von 12 bis 13 Uhr. Sie fährt jeden Tag von Bochum nach Essen. Die Reise dauert nur 30 Minuten.

Wolfgang Kirchner ist 35 Jahre alt und ist Bankdirektor. Er wohnt auch in Bochum, und er arbeitet dort. Er ist nicht verheiratet. Er hat eine Zweizimmerwohnung in Bochum.

die Industriestadt	industrial city
verheiratet	married
Angestellte	clerk, white-collar worker
die Reise	journey
dauert	lasts

Übungen

7 *Richtig oder falsch? If the statement is false, give the correct information.*

(i) Ursula Kirchner arbeitet in Bochum.
(ii) Sie ist Bankdirektorin.
(iii) Wolfgang Kirchner arbeitet auch in Bochum.
(iv) Er hat eine Frau.
(v) Er hat eine Einzimmerwohnung.
(vi) Ursula arbeitet jeden Tag 9 Stunden.

8 *Write a description of Ursula, as if you were her ('ich heiße...').*

9 *Insert suitable questions in the gaps.*

Interviewer:
Klaus: Mein Name ist Klaus Richter.
Interviewer:
Klaus: Ich komme aus Dortmund.
Interviewer:
Klaus: Ich wohne jetzt in Bingen am Rhein.
Interviewer:
Klaus: Ich arbeite in Koblenz.
Interviewer:
Klaus: Ja, ich fahre jeden Tag nach Koblenz.
Interviewer:
Klaus: Etwa 45 Minuten.
Interviewer:
Klaus: Ja, meine Frau heißt Birgit.

TALKING BUSINESS

Dietrich AG

Die Firma Dietrich ist eine Firma mit Sitz in Bochum, Deutschland. Dietrich hat 400 Arbeitnehmer in Bochum und stellt Spülmaschinen und Waschmaschinen her. Hier sind einige Mitarbeiter bei Dietrich AG:

Markus Wolff. Verkaufsleiter. 34 Jahre alt. Er wohnt in Bochum und ist verheiratet. Er hat 2 Kinder. Er arbeitet seit 4 Jahren bei Dietrich.

Ursula Klein. Vertreterin. 32 Jahre alt. Sie ist ledig und wohnt in Bochum. Sie ist seit 2 Jahren bei Dietrich.

Heinz Dietrich. Direktor. 48 Jahre alt. Er wohnt in Essen. Er ist verheiratet und hat 3 Kinder.

Ute Heller. Sekretärin. 26 Jahre alt. Sie ist verheiratet und wohnt in Recklinghausen. Ihr Mann ist Geschäftsmann.

Wolfgang Barzel. Finanzleiter. 42 Jahre alt. Er ist ledig und wohnt in Bochum. Seit 12 Jahren bei Dietrich.

AG / Aktiengesellschaft	joint stock company
mit Sitz in	with its headquarters/head office in...
stellt...her	manufactures
einige	a few
ledig	single

Übung

10 *You are Markus Wolff, of Dietrich AG. Answer the following questions, basing your response on the information given about you.*

(i) Wie heißen Sie?
(ii) Was sind Sie von Beruf?
(iii) Wo wohnen Sie?
(iv) Wo arbeiten Sie?
(v) Wie lange arbeiten Sie dort?

11 *Ursula Klein meets another representative at a trade fair.*

Florian Müller:	(*reads her badge*) Sie sind Ursula Klein?
Ursula:	Ja, bin ich.
Florian Müller:	Sie arbeiten bei Dietrich AG, nicht wahr?
Ursula:	In Bochum, ja. Und Sie sind...?
Florian Müller:	Ach, Entschuldigung. Darf ich mich vorstellen? Ich bin Florian Müller. Ich bin Vertreter bei Hamborn GmbH in München.
Ursula:	Freut mich, Sie kennenzulernen.
Florian Müller:	Freut mich auch!
Ursula:	Kennen Sie Dietrich AG?
Florian Müller:	Ja, ich kenne auch Wolfgang Barzel!
Ursula:	Ja, er ist Finanzleiter bei Dietrich.
Florian Müller:	Wie finden Sie die Messe?
Ursula:	Sehr interessant!

Dietrich AG
Ursula Klein
Vertreterin
Lindenstraße 26 Telefon: 0234 32 47 58
Bochum Telefax: 0234 56 48 67

Hamborn GmbH
Florian Müller
Vertreter
Bonner Straße 71
8000 München
Telefon: 089 32 47 58
Telefax: 089 56 48 67

Freut mich, Sie kennenzulernen	pleased to meet you.

Note: This is frequently abbreviated to '*freut mich*', as in the title of this course.
The other expression that may be used when meeting someone for the first time is '**angenehm**' (= literally 'pleasant'). This is more formal than '**freut mich**' but is still occasionally heard.

Language structures

1. Verbs

The infinitive form of German verbs ends in *-(e)n*

kommen to come
heißen to be called
arbeiten to work
sammeln to collect

The *ich* (= first person singular) form of regular verbs ends in *-e*

heißen ich heiße
haben ich habe
wohnen ich wohne

The *Sie* (= 'you' - polite) form ends in *-en*. It is in the case of most verbs the same as the infinitive:

wohnen Sie wohnen
heißen Sie heißen

The third person singular form (*er* = he, *sie* = she, *es* = it) ends in *-(e)t:*

er heißt
sie arbeitet
sie sammelt

Note that the verb *sein* (to be) is highly irregular:

ich bin
er, sie, es ist
Sie sind

2. Genders

There are three genders in German: masculine, feminine, neuter.

The definite and indefinite articles (the words for *the* and *a*) are different in each gender:

Masculine	*der* Student	*ein* Student
Feminine	*die* Wohnung	*eine* Wohnung
Neuter	*das* Auto	*ein* Auto

Note: In these examples, the articles are in the form found in the *nominative* case (i.e. when the noun is the subject of the verb).

German is an *inflected* language, which has several other cases which we shall meet later. In these other cases, the forms of the definite and indefinite articles (and the endings of adjectives) change.

3. Questions

Questions can be formed in German by inverting subject and verb.

Sie arbeiten hier.	Arbeiten Sie hier?
Sie haben eine Wohnung.	Haben Sie eine Wohnung?

They can of course also be formed just by changing intonation, as is the case in English.

You work here?	Sie arbeiten hier?

4. German numbers

German numbers follow a very logical pattern, and are easy to learn:

eins	1	sechs	6	elf	11	sechzehn	16
zwei	2	sieben	7	zwölf	12	siebzehn	17
drei	3	acht	8	dreizehn	13	achtzehn	18
vier	4	neun	9	vierzehn	14	neunzehn	19
fünf	5	zehn	10	fünfzehn	15	zwanzig	20

einundzwanzig 21
zweiundzwanzig 22

etc.

dreißig	30	siebzig	70
vierzig	40	achtzig	80
fünfzig	50	neunzig	90
sechzig	60	hundert	100

hunderteins 101
hundertzwei 102
zweihundert 200

hundertfünfunddreißig 135

vierhundertzweiundzwanzig 422

Note: On the telephone, *zwei* is often spoken as *zwo*.

Übungen

11 Verbs

*Give the **ich** and the **Sie** forms of each of the following verbs.*

(i) fahren
(ii) stellen
(iii) wohnen
(iv) essen
(v) schreiben
(vi) sehen
(vii) verdienen
(viii) sitzen

12 Genders

*Put the appropriate definite article (**der, die, das**) and indefinite article (**ein, eine**) before each of the following nouns.*

Wohnung
Kellnerin
Tag
Mark
Restaurant
Kellner
Auto
Student
Monat
Firma

13 Numbers

Read out, then write out in German, the following numbers.

12	120	230
24	150	340
16	162	900
92	174	956
17	220	977

Assignments

1J **Task A** *Listen to dialogue 1J on tape, then answer the following questions.*

(i) Where does Herr Braun work?
(ii) Give the name and the location of Frau Kohrs' company.

(iii) What sort of company does she work for?
(iv) How many workers does it have?
(v) Where are Herr Braun and Frau Kohrs?

Task B *In conversation with your tutor, you are to give information about yourself and your job and company, based on the following outline.*

- Name
- Age
- Position (representative)
- Company (Liesing AG)
- Location (Stuttgart)
- Number of workers (700)

Task C *Write a short description of yourself based on the outline information you gave in the interview in Task B.*

Vokabular

aber but
AG (see Aktiengesellschaft)
Aktiengesellschaft (die) joint stock company
angenehm pleasant, 'pleased to meet you'
Angestellte (der or die) office worker; white collar worker
arbeiten to work
Arbeitnehmer/in (der/die) employee; worker
aus out of, from
Auto (das) car

Bankdirektor (der) bank manager
Bankdirektorin (die) bank manageress
bei at
Beruf (der) occupation
besuchen to visit
bis until by
bitte please

dauern to last
deutsch German
Deutschland Germany
Direktor (der) manager; director
DM German Marks
dort there

einige some
englisch English
Entschuldigung! excuse me
essen to eat

fahren to go, travel
falsch wrong
Familie (die) family
Finanzleiter (der) finance manager
finden to find
Firma (die) company
Frau (die) woman; Mrs; Ms
freut mich pleased to meet you

gemütlich cosy
Geschäftsmann (der) businessman

haben to have
heißen to be called
Herr Mr
hier here

ich I
Industriestadt (die) industrial city

Jahr (das) year
jetzt now

Kellner (der) waiter
Kellnerin (die) waitress

kennen to know
kennenlernen to get to know, make acquaintance
Kind (das) child
klein little
kommen to come

ledig single
Leiterin (die) manageress

machen to make, do
manchmal sometimes
Mann (der) man
Maschinenbaufirma (die) engineering company
mehr more
Messe (die) trade fair
mit with
Mitarbeiter (der) colleague, fellow-worker
Mittagspause (die) lunch break
Monat (der) month

nach after
Name (der) name
nicht not
nur only

oder or

Reise (die) journey
richtig correct, right
Ruhrgebiet (das) the Ruhr (industrial area)

sammeln to collect
schreiben to write
sehen to see
sehr very
sein to be
seit since, for
Sekretärin (die) secretary
Sitz (der) seat, headquarters
sitzen to sit
Sohn (der) son
Spülmaschine (die) dishwasher
stellen to put
Stock (der) floor, storey
Student (der) student (male)
Studentin (die) student (female)
studieren to study
Stunde (die) hour

Tag (der) day
Tochter (die) daughter

Uhr (die) clock, o'clock
verdienen to earn
verheiratet married
Verkaufsleiter (der) sales manager
Vertreter (der) representative
Vertreterin (die) representative
vorstellen to introduce

wahr true
Waschmaschine (die) washing machine
weit far
wie how
wie lange how long?
wo where
woher where from?
wohnen to live
Wohnung (die) flat, apartment

ziemlich quite

Unit 2

SIMPLE TRANSACTIONS AND USE OF THE TELEPHONE

You will learn to:

- Ask the price of items
- Buy things
- Conduct simple transactions
- Use the telephone
- Tell the time in German

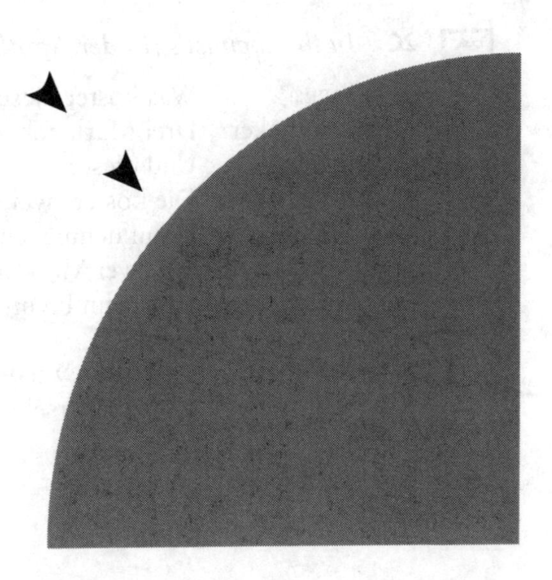

Dialoge

SHOPPING

2A *In the department store (Im Kaufhaus)*

Verkäuferin: Bitte schön?
Beate: Was kostet die Handtasche, bitte?
Verkäuferin: 35 Mark.
Beate: Ich nehme sie.
Verkäuferin: So, bitte.
Beate: Danke.

bitte schön ?	can I help you?
was kostet...	what does...cost?
ich nehme sie (es/ihn)	I'll take it

2B *In the department store - the information desk (Auskunft)*

Verkäuferin: Bitte schön?
Beate: Wo ist die Lederwarenabteilung, bitte?
Verkäuferin: In der zweiten Etage.
Beate: Und die Lebensmittelabteilung?
Verkäuferin: Gleich hier vorne.
Beate: Danke.
Verkäuferin: Bitte schön.

wo ist...?	where is...?
gleich hier vorne	right here / straight ahead

2C *In the chemist's (In der Apotheke)*

Inge: Was kostet diese Zahncreme, bitte?
Apotheker: Drei Mark achtzig.
Inge: Und diese?
Apotheker: Die kostet zwei Mark neunzig.
Inge: Dann nehme ich diese, bitte.
Apotheker: So, zwei Mark neunzig, bitte. (*Inge gives him three Marks.*)
Apotheker: Und zehn Pfennig zurück.
Inge: Danke.
Apotheker: Bitte. Auf Wiedersehen.
Inge: Auf Wiedersehen.

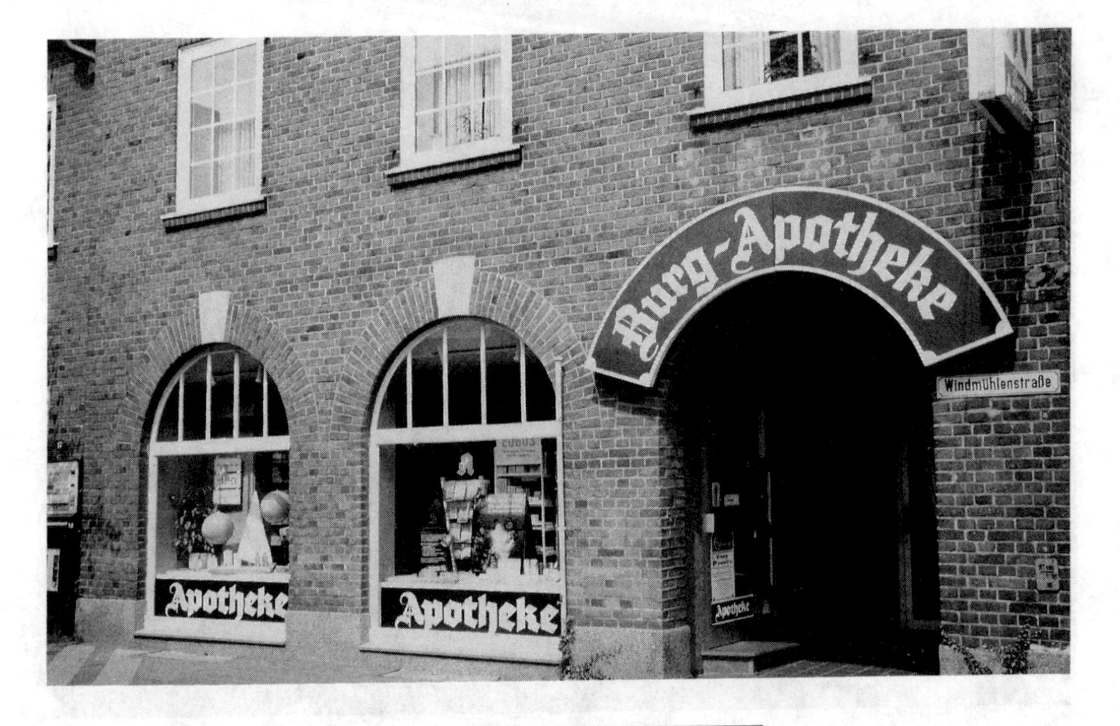

diese	this one
zehn Pfennig zurück	ten Pfennigs change (lit: back)
auf Wiedersehen	goodbye

 **2D** *In the department store (Im Kaufhaus) where Inge is buying a handbag.*

Verkäuferin: Bitte schön?
Inge: Was kostet die Handtasche, bitte?
Verkäuferin: Diese? 43 Mark.
Inge: Ist sie aus Leder?
Verkäuferin: Ja, natürlich.
Inge: Dann nehme ich sie.
Verkäuferin: Gerne. Gehen Sie bitte zur Kasse.

At the cash desk (an der Kasse)

Verkäuferin: So. Das macht dreiundvierzig Mark, bitte.
(*Inge gives her 50 Marks.*)
Verkäuferin: Und sieben Mark zurück. Danke.
Inge: Danke. Wiedersehen.
Verkäuferin: Auf Wiedersehen.

natürlich	of course
gerne	gladly, willingly, of course
gehen Sie...	go to...
das macht...	that comes to...

2E *In the market*

Inge:	Was kosten die Äpfel?
Verkäuferin:	Vier Mark das Kilo.
Inge:	Ein Pfund, bitte.
Verkäuferin:	So, zwei Mark. Sonst noch was?
Inge:	Ja, vier Bananen, bitte.
Verkäuferin:	Vier Mark. Macht sechs Mark zusammen. Danke.
Inge:	Danke. Auf Wiederschauen.
Verkäuferin:	Wiedersehen.

sonst noch was	anything else?
zusammen	(all) together
auf Wiederschauen	goodbye (variant on **'auf Wiedersehen'**)

Übungen

1 Role-plays

Working in pairs, or with your tutor, act out the following role-plays.

(i) Buying three pounds of apples, one pound of pears. Total cost = 5 Marks.

(ii) Buying a travel bag (Reisetasche). Costs 45 Marks. Give 50 Marks. Get appropriate change.

(iii) Ask price of book. Cost = 22 Marks. Give 30 Marks, and get change.
(iv) Ask cost of handbag. When given price, indicate that it is too expensive (= zu teuer).

2 *Below are pictures of various items with price labels. Ask the price of each of the items. Your partner will give the price.*

das Buch
die Lampe
der Schirm
der Fotoapparat
die Tasse
der Computer

2F **3** *Listen to the dialogues on tape, then answer the questions which follow.*

(i) What did the pullover cost?
(ii) What was the cost of the dress?
(iii) How many apples were bought?
(iv) What else was bought?
(v) What was the total cost?

2G *At the post office (Im Postamt)*

A: Bitte schön?
B: Zwei Briefmarken zu 80 Pfennig, bitte.
A: Bitte. Noch was?
B: Und drei Briefmarken zu 90 Pfennig.
A: So, das macht DM4,30.
(B gives him 5 Marks)
A: Und 70 Pfennig zurück.
B: Danke. Wiedersehen.
A: Wiedersehen.

Briefmarken	stamps

Übung

4 *You are buying stamps at the post office. Assume Role B and give appropriate responses.*

A: Guten Tag. Bitte schön?
B: (*ask for 4 stamps at 90 Pfennigs*)
A: So. Noch was?
B: (*5 stamps at 70 Pfennigs*)
A: Das macht DM 7,10.
B: (*say thanks, and goodbye*)

2H *Im Postamt*

A: Guten Tag. Bitte schön?
B: Guten Tag. Ich möchte das Paket nach England schicken.
A: So – stellen Sie es bitte auf die Waage.
(B puts it on scales)
A: Das kostet 15 Mark.
B: Und auch 4 Briefmarken zu 90 Pfennig.
A: Da gehen Sie bitte zu Schalter 4.
B: OK. Danke.

schicken	to send
die Waage	scales
der Schalter	counter

Übung

5 *Fill in the gaps in this text, selecting appropriate words from the list below.*

Johann ... zum Postamt. Er hat ein ... für seine ... in Hannover. Er geht ... Schalter und ... das Paket ... die Waage. 'Das ... 17 Mark', sagt der Angestellte. Johann gibt ihm 20 Mark und ... 3 Mark ...

Paket, auf, zurück, kostet, zum, stellt, geht, Eltern, bekommt, macht

ON THE TELEPHONE

2I

A: Dietrich AG. Guten Tag.
B: Guten Tag, ich möchte bitte mit Herrn Bauer sprechen.
A: Moment bitte. Ich verbinde gleich.
C: Bauer.
B: Guten Tag, Herr Bauer. Hier Frau Bachmann...

ich möchte mit X sprechen	I should like to speak to X
ich verbinde	I'm putting you through

2J

A: Dietrich AG. Guten Tag.
B: Guten Tag. Ich möchte bitte mit Frau Borne sprechen.
A: Frau Borne ist leider nicht da. Sie kommt um etwa 10 Uhr.
B: Dann rufe ich später an.
A: Wiederhören.
B: Auf Wiederhören.

ist nicht da	is not here	**ich rufe...an**	I'll call
um etwa 10 Uhr	at about 10 o'clock	**auf Wiederhören**	goodbye (on phone only)

Übung

6 *Complete the gaps in the following telephone conversation.*

A: Hamborn AG. ... Tag
B: ... Tag. Ich ... mit Herrn Friedrich ...
A: Er ist im Moment nicht ...
B: Wann kommt er?
A: ... 9 Uhr. Bitte ... Sie später an.
B: Ja, danke. Auf Wiederhören.
A: Auf Wiederhören.

 **2K**

A: Dietrich AG. Guten Tag.
B: Guten Tag. Ich möchte mit Herrn Erich sprechen.
A: Herr Erich ist heute nicht im Hause. Er ist heute in München.
B: Wann ist er wieder zurück?
A: Morgen gegen 8 Uhr.
B: Ich rufe morgen an. Auf Wiederhören.
A: Wiederhören.

nicht im Hause	not here / not on the premises

 **2L**

A: Dietrich AG. Guten Tag.
B: Morgen. Hier Baumann, von der Firma Reimann, in Stuttgart. Ich möchte bitte mit Herrn Kempinski sprechen.
A: Bitte? Ich höre Sie nicht!
B: Ich möchte mit Herrn Kempinski sprechen.
A: Hallo.. Ach, wir haben eine schlechte Verbindung. Ich höre Sie nicht.
B: Ich rufe später an (*hangs up*)

eine schlechte Verbindung	a bad line/connection

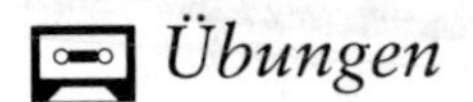

Übungen

2M **7** *Listen to the telephone conversation on tape, then answer the questions.*

(i) Who wishes to speak to Frau Brenner?
(ii) Where is Frau Brenner?
(iii) Whom is she with?
(iv) When is she expected back?

2N **8** *Listen to the telephone conversation on tape, then answer the questions.*

(i) When was Herr Bauer expecting Herr Wolff?
(ii) Why can Herr Wolff not come?
(iii) What new arrangement is made?
(iv) When is Herr Wolff going to ring again?

9 *Write in the appropriate responses.*

A: Guten Tag. Hempel AG.
B: (*wish to speak to Frau Heller*)
A: Sie ist leider nicht da.
B: (*when will she be in?*)
A: Um etwa 9.30 Uhr. Können Sie später anrufen?
B: (*you'll ring after 11*)
A: Danke. Auf Wiederhören.

TALKING BUSINESS

Dietrich AG

Marion Hartmann ist Leiterin bei Diepholz AG. Diepholz ist ein Versandhaus in Stuttgart und bestellt regelmäßig Waschmaschinen von Dietrich. Dietrich AG hat jetzt eine neue Reihe von Waschmaschinen, und Frau Hartmann möchte einige Maschinen bestellen. Sie möchte die Bestellung mit Herrn Wolff besprechen, und sie fährt bald nach Bochum. Sie ruft Herrn Wolff an.

2O

A: Dietrich AG. Guten Tag.
Marion Hartmann: Guten Tag. Ich möchte bitte mit Herrn Wolff sprechen.
A: Moment bitte - ich verbinde gleich. Bleiben Sie am Apparat.

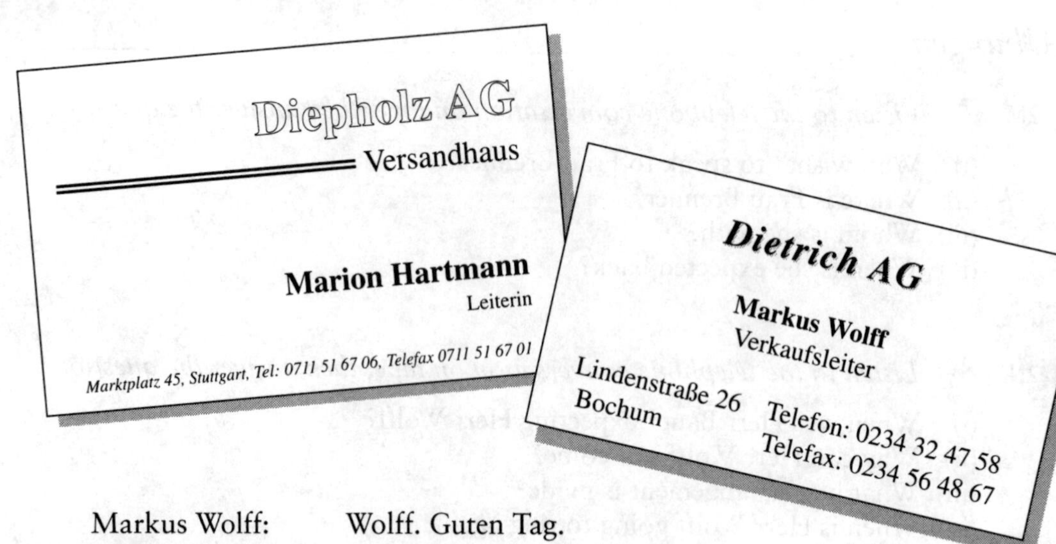

Markus Wolff:	Wolff. Guten Tag.
Marion Hartmann:	Guten Tag, Herr Wolff. Hier Marion Hartmann.
Markus Wolff:	Guten Tag, Frau Hartmann. Wie geht's?
Marion Hartmann:	Gut, danke. Und Ihnen?
Markus Wolff:	Mir geht's auch gut, danke.
Marion Hartmann:	Herr Wolff, ich fahre nächste Woche nach Bochum.
Markus Wolff:	Ja, wir haben eine Besprechung mit Herrn Dietrich, nicht wahr?
Marion Hartmann:	Ja, stimmt. Wir besprechen die neue Bestellung.
Markus Wolff:	Herr Dietrich sagt, Sie kommen am Donnerstag?
Marion Hartmann:	Ja, und wir treffen Herrn Dietrich am Freitag um 11.00 Uhr.
Markus Wolff:	Wielange bleiben Sie, Frau Hartmann?
Marion Hartmann:	Nur eine Nacht. Donnerstag bis Freitag.
Markus Wolff:	Dann reserviere ich ein Hotelzimmer für Sie. Das Hotel Astoria ist sehr gut. Ich reserviere ein Zimmer dort, dann rufe ich Sie wieder an.
Marion Hartmann:	Das ist nett von Ihnen. Auf Wiederhören, Herr Wolff.
Markus Wolff:	Wiederhören, Frau Hartmann.

das Versandhaus	mail order firm
bestellen	to order
regelmäßig	regularly
die Reihe	line, series
besprechen	to discuss
bleiben Sie am Apparat	hold the line
Wie geht's?	how are you?
das ist nett von Ihnen	that's nice of you

10 *Answer the questions in German if possible, but in English if this is too difficult at this stage.*

(i) Wer möchte mit Herrn Wolff sprechen?
(ii) Wann kommt Frau Hartmann nach Bochum?
(iii) Wann treffen Herr Wolff und Frau Hartmann Herrn Dietrich?
(iv) Wann fährt Frau Hartmann nach Stuttgart zurück?
(v) In welchem Hotel bleibt Frau Hartmann?
(vi) Wer reserviert das Zimmer?

11 *Insert suitable words in the gaps. Use words from the list below if you have difficulty.*

Marion Hartmann fährt bald ... Bochum. Sie ruft Herrn Wolff heute ... Sie hat eine ... mit Herrn Dietrich und Herrn Wolff. Sie treffen Herrn Dietrich am ... um 11 ... Herr Wolff ... ein Zimmer für ... Hartmann im ... Astoria. Das Hotel ist ... gut.

(an; sehr; reserviert; Besprechung; Bahnhof; nach; Uhr; Frau; Hotel)

Language structures

1. First and third person plural of verbs

With the *sie* (= they) and the *Sie* (= you) form of the verb, the verb is in almost all cases the same as the infinitive form. The same is true of the *wir* (= we) form:

fahren	sie fahren	(they go)
kaufen	Sie kaufen	(you buy)
essen	sie essen	(they eat)
wohnen	wir wohnen	(we live)

2. Use of möchte and möchten

ich möchte	(I should like)
er möchte	(he would like)
sie möchten	(they would like)
Sie möchten	(you would like)

This can be used either with a direct object:

ich möchte ein Eis	(I should like an ice cream)
sie möchte ein Bier	(she would like a beer)

or with an infinitive:

ich möchte gehen	(I should like to go)
sie möchte ein Auto kaufen	(she would like to buy a car)

(Note the position of the infinitive in the last example.)

3. Separable verbs

In some verbs in German, a separable part, a *prefix* is attached to the verb in the infinitive form:

<u>an</u>rufen

<u>ab</u>fahren

<u>um</u>steigen

When the verb is conjugated in a main clause, the prefix separates from the verb, and is placed at the end of the clause:

anrufen – ich *rufe* heute *an*
abfahren – wir *fahren* sofort *ab*
umsteigen – er *steigt* in Köln *um*

4. Negation

Verbs are made negative by the use of *nicht* (= not)

ich kaufe	ich kaufe nicht
sie gehen	sie gehen nicht
ich spreche	ich spreche nicht

5. The imperative

In the polite form, the imperative is formed by the use of the *Sie* form of the verb, with inversion:

gehen	gehen Sie! (go!)
bleiben	bleiben Sie hier! (stay here!)

6. Pronouns

Pronouns are words used in place of nouns (e.g. in English the personal pronouns are *he*, *she*, *we*, *them*, *they*, etc.)

The first three pronouns we have met in German are

	Masculine	Feminine	Neuter
Nominative Accusative Genitive Dative	er	sie	es
	Plural		
Nominative Accusative Genitive Dative			

They agree in number, case and gender with the noun they are replacing:

Herr Schmidt wohnt hier. Er arbeitet in Essen.
(Mr Schmidt lives here. He works in Essen.)

Die Wohnung ist klein, aber sie ist gemütlich.
(The flat is small, but it is cosy.)

Das Auto ist neu. Es kostet DM36 000.
The car is new. It costs 36,000 Marks.

Note that in German the masculine and feminine pronouns can also refer to objects.

7. The time

Telling the time in German is relatively straightforward:

it is 2 o'clock — es ist 2 Uhr

it is 2.30 — es ist 2.30 Uhr (read as 'zwei Uhr dreißig')

it is 1 o'clock — es ist ein Uhr

what time is it? — wieviel Uhr ist es? *or* wie spät ist es?

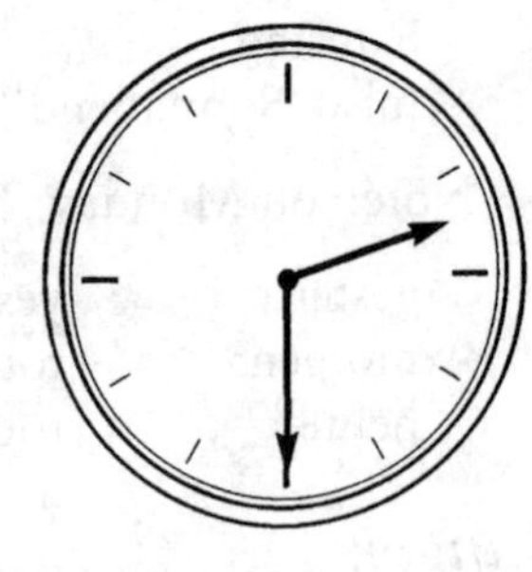

The easiest way to give the time in German is to simply add the minutes to the hours:

3.50	drei Uhr fünfzig
2.34	drei Uhr vierunddreißig

Other possibilities are:

5 to 10	5 vor 10
5 past 10	5 nach zehn

Note the following 'oddities':

halb 3	2.30 (half the way round to three)
viertel 3	2.15 (one quarter of the way to three)
dreiviertel 3	2.45 (three quarters of the way to three)

Note also:

es ist Mitternacht	(it is midnight)
es ist Mittag	(it is noon)

8. Days of the week

Sonntag	Sunday
Montag	Monday
Dienstag	Tuesday
Mittwoch	Wednesday
Donnerstag	Thursday
Freitag	Friday
Samstag (also 'Sonnabend')	Saturday

Note: on Monday, Tuesday, etc. = am Montag, am Dienstag.

gestern	yesterday
morgen	tomorrow
heute	today

Übungen

12 Verbs

*Give the '**er/sie/es**' (3rd person singular) and the '**sie**' (3rd person plural) form of:*

(i) setzen
(ii) kommen
(iii) stellen
(iv) danken
(v) rufen
(vi) telefonieren
(vii) buchen
(viii) fragen

13 Möchte, möchten

*Form as many sentences as you can using '**möchte / möchten**' and the components below.*

Verbs

(i) trinken
(ii) essen
(iii) kaufen
(iv) bestellen
(v) reservieren

Nouns

(i) Haus
(ii) Bier
(iii) Auto
(iv) Buch
(v) Schnitzel
(vi) Zimmer
(vii) Eis

14 Separable verbs

Put the verbs in the following sentences into the appropriate form, then translate the sentences into English.

(i) Wir (abfahren) morgen.
(ii) Sie (= you) (ankommen) um 8 Uhr.
(iii) Er (anrufen) heute.
(iv) Wir (ausgehen) um 7 Uhr.
(v) Sie (= she) (einsteigen) gleich.
(vi) Sie (= they) (aussteigen) jetzt.

15 Negatives

Put the following sentences into the negative form.

(i) Die Lebensmittelabteilung ist in der zweiten Etage.
(ii) Ursula wohnt in Essen.
(iii) Dieter arbeitet in Münster.
(iv) Er geht zu Schalter 4.
(v) Ich möchte mit Frau Erich sprechen.
(vi) Er kommt um 4 Uhr.
(vii) Wir fahren nach München.
(viii) Er ist sehr nett.

16 Pronouns

Complete the following sentences.

(i) Das Büro ist schön. ... ist neu.
(ii) Die Wohnung ist groß. ... ist auch schön.
(iii) Das Auto ist neu. ... ist sehr teuer.
(iv) Herr Schmidt arbeitet in Münster. ... ist Bankdirektor.
(v) Wo ist der Schuh? ... ist hier.
(vi) Woher kommt Frau Hering? ... kommt aus Hamburg.

17 Time

Give the English equivalent of:

(i) halb fünf
(ii) fünf vor neun
(iii) acht Uhr dreiunddreißig
(iv) sieben Uhr neunzehn
(v) dreiviertel sechs
(vi) viertel neun
(vii) zehn Uhr zwanzig

Read out the following times in German:

1.20	4.39	12.08
13.50	3.30	6.42
15.15	7.38	
19.25	9.45	

Assignments

2P **Task A** *Listen to the telephone dialogue on tape (Recording 2P), then enter in English in the diaries of Frau Klein and Frau Heller their various appointments.*

Note that today is Monday 11 May.

Mai

11 Montag

12 Dienstag

13 Mittwoch

Mai

F	S	S	M	D	M	D
1	2	3	4	5	6	7
8	9	10	11	12	13	14
15	16	17	18	19	20	21
22	23	24	25	26	27	28
29	30	31				

Juni

F	S	S	M	D	M	D
				1	2	3	4
5	6	7	8	9	10	11
12	13	14	15	16	17	18
19	20	21	22	23	24	25
26	27	28	29	30		

Mai

Donnerstag 14

Freitag 15

Samstag 16

Sonntag 17

Task B *Conduct a (telephone) conversation in German based on the following outline. You should play the role of either participant, your tutor taking the opposite role.*

(Scenario: A and B are to travel together to a trade fair in Frankfurt)

A:	B:
Depart when?	Give suitable time
Arrive when?	Indicate arrival time
Travelling alone?	Accompanied by colleague (give name, position)
Hotel accommodation?	I'll reserve
Have meeting with Dr Brunowski at 14.00 on Friday.	We're back by 13.00 on Friday.

Task C *Compose a short memo in German based on the following notes:*

> *From: You*
>
> *To: Frau Escher, Sales manager(ess)*
>
> *Herr Rebe from Dietz AG coming on Friday at 12.00. Would like to speak to Frau Escher, to discuss an order. Would like to meet her at 2. Going back to Munich at 3.30.*

Vokabular

ankommen to arrive
anrufen to telephone
Apotheke (die) chemist's shop
Apotheker (der) chemist
Apparat (der) (here) telephone
ausgehen to go out
Auskunft (die) information
aussteigen to get out (train, tram etc.)
Auto (das) car
Apfel (der) apple

bald soon
Banane (die) banana
Bankdirektor (der) bank manager/director
bekommen to get
besprechen to discuss
Besprechung (die) discussion, meeting
bestellen to order
Bestellung (die) order
Bier (das) beer
bitte please
bleiben to stay, remain
Briefmarke (die) postage stamp
Buch (das) book
buchen to book, reserve
Büro (das) office

da there, here
danke thank you
danken to thank
dann then
Dienstag Tuesday
Donnerstag Thursday
dort there

einige some, a few
einsteigen to get in, on (bus etc.)
Eis (das) ice cream
Eltern parents
Etage (die) floor (of building)
etwa about, approximately

fahren to go, travel
Firma (die) firm, company
Fotoapparat (der) camera
fragen to ask
Frau (die) woman, lady, Mrs, Ms
Freitag Friday

gegen against, about (time)
gehen to go, walk
gemütlich cosy, nice
gerne willingly, gladly
gestern yesterday
gleich immediately

haben to have
Handtasche (die) handbag
Hause (das) house
Herr Mr
heute today
hier here
Hotelzimmer (das) hotel room
hören to hear

Information (die) information

Kasse (die) till, cash point
kaufen to buy
Kaufhaus (das) department store
klein small
kommen to come
kosten to cost
können to be able to

Lampe (die) lamp
Lebensmittel (plural) food
Leder (das) leather
Lederwaren (plural) leather goods
leider unfortunately
Leiterin (die) manageress

machen to make, do
Maschine (die) machine
Mittag midday
Mitternacht midnight
Mittwoch Wednesday
Moment (der) moment
Montag Monday
Morgen (der) morning
morgen tomorrow

nach after
Nacht (die) night
natürlich of course
nehmen to take
nett nice
neu new
noch still
nur only

Paket (das) package, parcel
Partner (der) partner
Pfund (das) pound
Postamt (das) post office

regelmäßig regularly
Reihe (die) series, line
Reisetasche (die) travel bag
reservieren to reserve

sagen to say
Samstag Saturday
Schalter (der) counter
schicken to send
Schirm (der) umbrella
schlecht bad
Schnitzel (das) escalope
schön fine, beautiful
Schuh (der) shoe
sehr very
setzen to put
Sonnabend Saturday
Sonntag Sunday
sonst otherwise
sonst noch was? anything else?
spät late
spielen to play
sprechen to speak
stellen to put
stimmt (das stimmt) that's right

Tag (der) day
Tasse (die) cup
Telefon (das) phone
telefonieren to telephone
teuer expensive
treffen to meet
trinken to drink

um about

verbinden to connect
Verbindung (die) connection
Verkäuferin (die) sales assistant (female)
Versandhaus (das) mail order company
vor before, to (of time)
vorne in front (of you)

Waage (die) scales
wann? when?
Waschmaschine (die) washing machine
wer? who?
wie? how?
wieder again
auf Wiederhören goodbye (on telephone only)
auf Wiederschauen goodbye

auf Wiedersehen goodbye
wieviel? how much
wo? where?
Woche (die) week
woher? where from?
wohnen to live

Wohnung (die) flat, apartment

Zahncreme (die) toothpaste
Zimmer (das) room
zurück back
zusammen together

Unit 3

TRAVEL AND ACCOMMODATION

You will learn to:

- Make travel arrangements
- Ask for directions
- Book accommodation

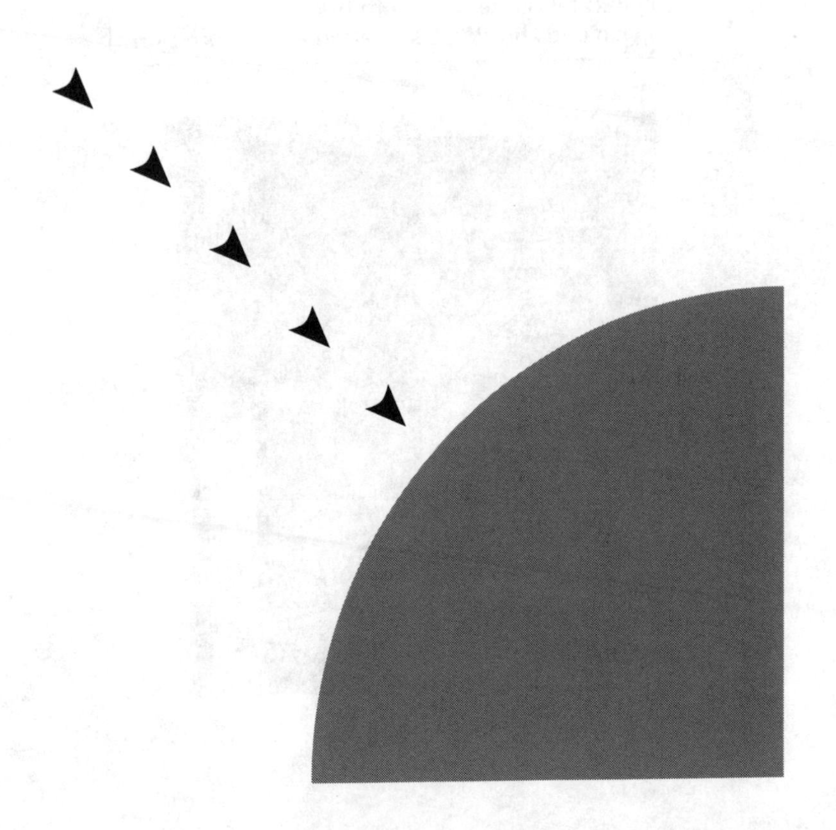

Dialoge

TRAVEL

3A *At the ticket desk (Am Fahrkartenschalter)*

A: Bitte schön?
B: Hamburg, bitte, einfach.
A: 36 Mark, bitte.
B: So, danke.
A: Bitte schön.

einfach	single

3B A: Bitte schön?
B: Eine Rückfahrkarte nach Hamburg, bitte.
A: Erster oder zweiter Klasse?
B: Zweiter Klasse.
A: So, 54 Mark, bitte.
B: Danke.
A: Bitte schön.

Rückfahrkarte	return ticket
hin und zurück	is an alternative expression

3C *The information desk (Die Information)*

A: Wann fährt der nächste Zug nach Köln?
B: Um 9.15 Uhr, ab Gleis 4.
A: Fährt er direkt nach Köln?
B: Ja – er kommt um 10.23 Uhr an.
A: Danke sehr.
B: Bitte.

ab Gleis 4	from platform 4

3D A: Guten Tag.
B: Guten Tag. Bitte schön?
A: Ich fahre heute nach Bonn.
Wann fährt der nächste Zug?
B: Um 9.36 Uhr fährt ein Intercity.
A: Ich möchte etwas früher fahren.
B: Ein Eilzug fährt in 10 Minuten - aber Sie steigen dann in Köln um.
A: In zehn Minuten?
B: Ja, um 8.25 Uhr, ab Gleis 3.
A: Danke schön.
B: Bitte.

Sie steigen...um	you change

Übungen

1 *You are buying a rail ticket. Take role B in the following dialogue and give appropriate responses.*

A: Bitte schön?
B: (*ask for a single ticket to Hannover*)

A: Erster Klasse?
B: (*no, second class*)
A: 45 DM, bitte.
B: (*ask the time of the next train*)
A: Um 14.30 Uhr, Gleis 2.
B: (*say thankyou and goodbye*)

2 *Act out the following role-plays in pairs.*

(i) *At the ticket office:*

A:	B:
Return to Mannheim	Class?
First class	86 Marks
Next train?	14.25, platform 6
Is it direct?	Change in Heidelberg

(ii) *At the information desk:*

A:	B:
Train to Ulm?	Direct at 8.20.
Too early (=zu früh)	Another train at 9.34, but change in München.
Cost?	39 Marks.

(iii) *At the ticket office:*

A:	B:
Single to Bochum, second class	Cost = 34 Marks
Time?	Train leaves at 12.35.
Arrival time?	13.38.

3E 3 Train announcements

You are standing on Frankfurt station and hear the following announcements. Listen to them carefully on tape, and read through them, then answer the questions.

Achtung Gleis 6! Es fährt ein Intercity 342 Prinz Eugen nach Hamburg über Hannover. Planmäßige Ankunft 8.30 Uhr, planmäßige Abfahrt 8.33 Uhr. Wagen der ersten Klasse sind in den Abschnitten A und B. Wagen der zweiten Klasse sind in den Abschnitten C, D und E.

Vorsicht Gleis 3! Zug fährt sofort ab. Türen schließen selbsttätig. Vorsicht bei der Abfahrt.

Hier Frankfurt Hauptbahnhof, Frankfurt Hauptbahnhof. Sie haben Anschluß an Intercity 245 nach Ulm, planmäßige Abfahrt 12.45 Uhr ab Gleis 14. Auch an Interregio 284 nach Kassel über Gießen und Marburg. Planmäßige Abfahrt 12.58 Uhr aus Gleis 9.

Eine Durchsage an Frau Gertrud Kramer, aus Böblingen. Ich wiederhole, eine Durchsage an Frau Gertrud Kramer, aus Böblingen. Frau Kramer wird dringend an den Informationsschalter in der Bahnhofsvorhalle gebeten.

Achtung Gleis 12. Eurocity 125 nach Linz über Würzburg und Nürnberg, planmäßige Abfahrt 14.58 Uhr, hat voraussichtlich 15 Minuten Verspätung.

planmäßige Ankunft/Abfahrt	scheduled time of arrival/departure
in den Abschnitten A und B	in sectors A and B (marked on the platform)
Türen schließen selbsttätig	doors close automatically
Sie haben Anschluß an...	you have a connection to...
Eine Durchsage an...	a message for...
wird...gebeten	is requested to go to ...
hat voraussichtlich 15 Minuten Verspätung	is running 15 minutes late

Answer the following questions.

(i) What is happening on platform 3?
(ii) What is said about the train to Linz?
(iii) Where does Frau Kramer have to go?
(iv) How are passengers just arriving at Frankfurt station going to get to Marburg?
(v) Where should you stand on the platform if you have a first class ticket to Hamburg?

4 *Listen to the further two sets of train announcements on tape, and answer the questions. This time, you do not have a transcription of the announcements, so you should listen very carefully.*

 **3F** *First announcement*

(i) What train departs at 17.36, and from which platform?
(ii) What is the destination of the train which is scheduled to leave at 17.39?
(iii) What is said about this train?
(iv) What sort of train is going to Rottendorf? What platform does it leave from?
(v) What is happening on platform 9 at the moment?
(vi) On what station is all this happening?

3G *Second announcement*
Insert appropriate words.

(i) Wir sind auf dem Bahnhof in ...
(ii) Intercity 127 fährt von Gleis ... ab.
(iii) Er fährt nach ... über ...
(iv) Schnellzug 420 fährt von Gleis ... ab.
(v) Der Zug nach Oostende fährt über Düren, ... und Brüssel.
(vi) Er hat ... Minuten Verspätung.

Eine Geschäftsreise

Klaus ist Vertreter für die Firma HANO AG in Saarbrücken. Er fährt heute von Saarbrücken nach München. Es ist eine lange Reise, und er fährt deshalb mit dem Zug. Er möchte früh in München ankommen - er fährt von Saarbrücken um 6.25 ab, steigt in Mannheim um, und kommt um 10.45 Uhr in München an. Dort besucht er Stefan Kowalski. Stefan ist Abteilungsleiter bei der Firma Bolling in München. Mit Stefan diskutiert Klaus über eine neue Bestellung. Zu Mittag essen Sie im Restaurant nicht weit von der Firma. Um 15.00 Uhr fährt Klaus im Taxi zum Bahnhof. Sein Zug fährt um 15.45 Uhr ab, und er ist um 20.00 Uhr wieder zu Hause.

Vertreter	representative
früh	early
Abteilungsleiter	department manager
im (in dem)	in the

Übung

5 *You are Klaus. Answer the questions, in German if possible.*

(i) Wohin fahren Sie heute?
(ii) Wie fahren Sie?
(iii) Wann fährt der Zug ab?
(iv) Wo steigen Sie um?
(v) Was machen Sie in München?
(vi) Wo essen Sie?
(vii) Wie fahren Sie zum Bahnhof?
(viii) Wann sind Sie wieder zu Hause?

Am Flughafen

Heute ist Samstag, und es sind viele Leute am Flughafen Frankfurt am Main. Einige Leute warten auf Freunde und Verwandte, andere fliegen selbst in Urlaub. Am Check-in-Schalter ist eine lange Schlange für den Flug nach

Mallorca. Klaus und seine Frau Ulrike fliegen dorthin. Sie verbringen 2 Wochen dort in einem Hotel am Strand. Der Flug hat aber 2 Stunden Verspätung, und die Fluggäste werden ungeduldig. Sie warten schon lange Zeit.

es gibt	there are
Verwandte	relatives
Schlange	queue
werden	become
ungeduldig	impatient

3H *Check-in*

Check-in clerk: Guten Tag.
Klaus: Guten Tag.
Check-in clerk: So, Sie fliegen nach Mallorca?
Klaus: Hoffentlich! Wann fliegt die Maschine ab?
Check-in clerk: Ich glaube, in etwa 40 Minuten. Ihre Flugscheine bitte. Darf ich auch die Reisepässe sehen?
Klaus: Bitte.
Check-in clerk: Danke. Setzen Sie bitte Ihr Gepäck auf das Band. Gut, danke. Also, Raucher oder Nichtraucher?
Klaus: Nichtraucher, bitte.
Check-in clerk: Gerne. So, Sie haben Plätze 4F und 4E. Da sind Ihre Bordkarten. Gehen Sie bitte gleich zum Flugsteig B30. Die Maschine ist bald abflugbereit.
Klaus: Danke schön. Wiedersehen.
Check-in clerk: Wiedersehen. Und gute Reise!

Maschine	plane
Flugscheine	tickets
Reisepässe	passports
Gepäck	luggage
Band	belt (conveyor)
Flugsteig	gate
abflugbereit	ready to depart

Lufthansa-Expreß von Hamburg nach Frankfurt

Man kann jetzt 'im Stundentakt' wie mit der Bundesbahn von Hamburg nach Frankfurt fliegen. 16mal täglich fliegt eine Maschine hin und zurück. Die Preise sind auch sehr günstig. Wenn man 2 Wochen im voraus bucht, zahlt man nur 45 Prozent des normalen Preises. Warum ist das Fliegen jetzt so günstig? Ein Grund: Die Lufthansa spart Hotelkosten, denn die Crew wohnt in Hamburg und landet dort wieder. Das Fliegen ist besonders billig für Jugendliche. Sie können für weniger als 150 Mark nach Frankfurt fliegen.

6 *Without translating the Lufthansa passage, answer the following questions.*

(i) What other form of travel is flying compared with?
(ii) How often is the service between Hamburg and Frankfurt?
(iii) How do you get a reduction of 55 per cent?
(iv) Why does Lufthansa save on hotel costs?
(v) Which group of people gain particularly from this cheap service?

7 *Translate the 'Lufthansa-Expreß' text into English.*

8 *Summarise in English the main points of advice given to car drivers below.*

Mit dem Auto in den Urlaub:

Nicht vergessen!

✓ *Wagen nicht überladen*

✓ *erst gurten, dann starten - auch auf den Rücksitzen*

✓ *Kinder sollen hinten sitzen*
(Babys in Kinderliegen, kleine Kinder auf Kindersitzen, und größere Kinder mit Sicherheitsgurten)

✓ *nicht zu schnell fahren*

✓ *nach etwa 2 Stunden Fahrt eine Pause machen - aber keine alkoholhaltigen Getränke trinken!*

✓ *nur leichtverdauliche Mahlzeiten essen*

Asking and giving directions

31 A: Entschuldigen Sie, bitte. Wie komme ich zum Bahnhof?
B: Gehen Sie hier geradeaus, und dann nach links.
A: Danke schön.
B: Bitte.

geradeaus	straight on
nach links	to the left

3J A: Entschuldigung, wo ist die Post?
B: Die Post ist hier geradeaus, dann die erste Straße rechts.
A: Danke sehr.
B: Bitte schön.

3K A: Entschuldigen Sie, wo ist das Hotel Brenner, bitte?
B: Das Hotel Brenner? Moment mal... Ja, hier die erste Straße links, dann geradeaus.
A: Ist es weit von hier?
B: Nein, nur 3 Minuten zu Fuß.
A: Danke.
B: Bitte.

zu Fuß	on foot

3L A: Entschuldigung, wo ist hier eine Bank?
B: Gehen Sie geradeaus, und dann in die zweite Straße links. Die Bank ist auf der linken Seite.
A: Danke sehr.
B: Bitte schön.

auf der linken Seite	on the left

3M A: Entschuldigen Sie bitte. Wo ist das Theater?
B: Es tut mir leid. Ich weiß es nicht. Ich kenne mich hier nicht aus.

ich kenne mich hier nicht aus	I don't know the area

Übungen

9 *Give the appropriate responses.*

(i) Entschuldigen Sie, wie komme ich zum Theater?
(*straight on, on the left*)
(ii) Wie weit ist es zum Kino?
(*three minutes on foot*)
(iii) Wo ist hier eine Bank?
(*second left, on the right hand side*)
(iv) Entschuldigen Sie, wo ist hier ein Supermarkt?
(*don't know!*)

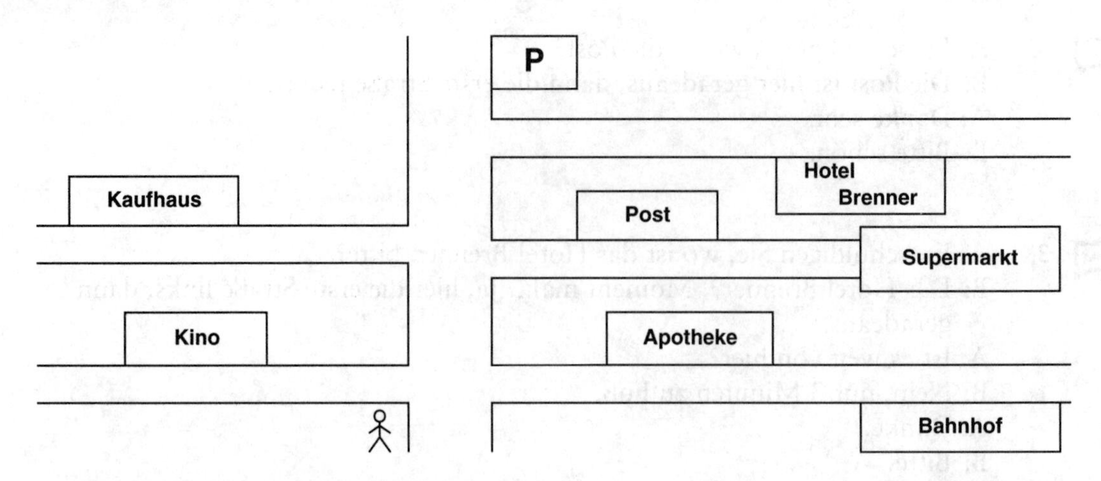

10 *With reference to the map, where do I get to if I take the following directions*

(i) die erste Straße rechts, auf der linken Seite.
(ii) die zweite Straße links, auf der rechten Seite.
(iii) geradeaus, auf der rechten Seite.
(iv) die dritte Straße rechts, auf der rechten Seite

11 *Give directions in German to*

(i) the supermarket.
(ii) the cinema.
(iii) the post office.
(iv) the station.

HOTEL RESERVATIONS

3N *Herr Schiller kommt ins Hotel und geht zur Rezeption.*

Empfangsdame: Guten Tag. Bitte schön?
Herr Schiller: Guten Tag. Haben Sie ein Doppelzimmer frei?
Empfangsdame: Für heute?
Herr Schiller: Ja.
Empfangsdame: Und wie lange bleiben Sie?
Herr Schiller: Bis Donnerstag – also drei Nächte.
Empfangsdame: Moment mal... Ja, wir haben ein Zimmer frei. Wollen Sie ein Zimmer mit Bad oder mit Dusche?
Herr Schiller: Wenn möglich mit Bad. Was kostet das?
Empfangsdame: Das kostet 150 DM pro Nacht.
Herr Schiller: Und ist das Frühstück inbegriffen?
Empfangsdame: Ja, sicher. Das Frühstück für zwei Personen ist im Zimmerpreis enthalten.

Herr Schiller:	Also, dann nehme ich das Zimmer. Meine Frau kommt in etwa drei Stunden an - ich treffe Sie am Bahnhof. Wie komme ich dorthin?
Empfangsdame:	Das ist hier geradeaus. Nur fünf Minuten zu Fuß.
Herr Schiller:	Und noch eine Frage. Wo ist der Parkplatz?
Empfangsdame:	Der Hotelparkplatz ist hier links. Und da ist Ihr Zimmerschlüssel - Zimmer Nummer 209, im zweiten Stock. Der Aufzug ist hier gleich rechts.
Herr Schiller:	Danke sehr.
Empfangsdame:	Bitte.

wie lange	how long
inbegriffen	included
enthalten	included
im zweiten Stock	on the second floor
Aufzug	lift

Letter of reservation

DIETRICH AG

Lindenstraße 45 • Bochum • Telefon: 0234 32 47 58 • Telefax: 0234 56 48 67

Hotel Clara
Ofterdingenstraße 36
7000 Stuttgart

Ihr Zeichen	**Ihre Nachricht vom**	**Unser Zeichen**	**Tag**
			9.4

Betreff
Zimmerreservierung

Sehr geehrte Damen und Herren,

im Mai besuche ich mit zwei Kollegen die Messe in Stuttgart, und ich möchte in Ihrem Hotel drei Einzelzimmer (mit Bad) vom 10. bis zum 15. Mai reservieren.

Könnten Sie mir bitte mitteilen, ob Sie drei Einzelzimmer frei haben?

Mit freundlichen Grüßen

W. Barzel

Confirmation

HOTEL CLARA

Ofterdingenstraße 36
7000 Stuttgart

Telefon: 0711 57 57 58
Telefax: 0711 57 35 98

Herrn
W. Barzel
Dietrich AG
Lindenstraße 45
Bochum

Ihr Zeichen	**Ihre Nachricht vom**	**Unser Zeichen**	**Tag**
	9.4.19..		11.4.19..

Betreff
Zimmerreservierung

Sehr geehrter Herr Barzel,

wir danken Ihnen für Ihr Schreiben vom 9. April. Wir können Ihnen mitteilen, daß wir vom 10. bis zum 15. Mai drei Einzelzimmer mit Bad und WC frei haben. Der Preis (inklusiv Frühstück) ist 200 DM pro Nacht. Alle Zimmer haben Telefon, Farbfernseher und Minibar.

Bitte bestätigen Sie Ihre Reservierung so bald wie möglich.

Mit freundlichen Grüßen

R. Berger
Geschäftsführerin

Hotel Alpina
Königsallee 39
3500 Kassel

Tel: (0561) 84 57 36

* ausgezeichnete internationale Küche
* beheiztes Hallenbad
* Sauna und Solarium
* 12 Tagungs – und Veranstaltungsräume
* nur 800 Meter von Autobahnausfahrt Kassel-Ost

Hotel Ketterer
Gumpdorfer Straße 48
4300 Essen

Tel: (0201) 43 36 97

* alle Zimmer mit Farbfernseher
* im Zentrum – nur 3 Minuten vom Hauptbahnhof
* vollautomatische Kegelbahn
* Restaurant (franz. Küche) und Weinstube
* Hallenschwimmbad
* hoteleigener Parkplatz

Pauschalangebote für Familien zu Ostern und Weihnachten (Halb– und Vollpension).

Übungen

12 *Read carefully the hotel adverts above and then answer the questions below.*

(i) List the main features of the Hotel Alpina.
(ii) After reading the ads again, give the German equivalent of:

indoor swimming pool
Easter
half board
cuisine/cooking
inclusive offer
skittle alley
car park
colour TV

13 *Use the following outlines for work in pairs. Your 'opposite number' will be played by either a fellow-student or the group tutor.*

The receptionist should use information on Hotel Clara overleaf as basis for giving information on prices, etc.

(i) Guest: Needs a single room for two nights. Cannot pay more than 140 Marks per night.

Receptionist: All rooms with bath taken. Room with shower available. Price 140 Marks. Room without shower available. Price 110 Marks.

HOTEL CLARA

Ofterdingenstraße 36
7000 Stuttgart

Seit seiner Gründung im Jahre 1924 befindet sich das Hotel Clara im Familienbesitz. Es liegt in der City direkt am Bahnhof und ist ein erstklassiges, freundliches und komfortables Hotel mit 400 Betten, Restaurant, Grillroom, Bar, Konferenzräume für 20 bis 200 Personen und Tiefgarage.

TARIF

Preise für Zimmer und Buffet-Frühstück

Einbettzimmer	*96,- bis 150,-*
Einbettzimmer mit Dusche	*140,- bis 180,-*
Einbettzimmer mit Bad/WC	*185,- bis 225,-*
Zweibettzimmer mit Bad/WC	*240,- bis 260,-*
Appartement	*290,- bis 360,-*
Extrabett	*30,-*
Hund	*12,-*
Halbpension	*ab 160,-*
Kinder (bis zu 12 Jahren) im Zimmer der Eltern	*frei*

Zimmer bleiben bis 18.30 reserviert, falls nicht eine spätere Ankunftszeit angegeben wird.

Abreisezeit bis 12.00 Uhr

Preise schließen Bedienung und Mehrwertsteuer ein.

(ii) Guest: Has arrived with car. Needs two double rooms for self, wife and children. Half board if possible. Staying for three nights.

Receptionist: Give information on car park. You do not have two double rooms available. Ask age of children. If under twelve, can stay in parent's room – but extra charge for beds. Alternatively, you have a double room and two singles. Give appropriate prices.

(iii) Guest: Has booked room already. Staying till Sunday. Checks time of breakfast. Needs information on how to get to trade fair.

Receptionist: Give appropriate information on breakfast times. Directions to trade fair – Bus 15 from station. Get off at Walhallastraße. Or take tram 27, get off at terminus.

14 Telephone messages

Using the language laboratory as an 'ansaphone', or working in pairs with a partner, ring the Hotel Clara and leave the following messages. In each case, remember to leave your telephone number if appropriate.

(i) Require two single rooms with bath – from July 5 to July 9. Ask them to confirm availability. Ask for price per night.

(ii) Require double room with bath and TV, or, if not available, two singles. Arriving tomorrow, so they must ring you to let you know if room(s) available.

(iii) Accommodation needed for group of fifteen people. Staying for one week in August. Need information on room prices. Ask for hotel brochure.

15 *Using the outlines for the telephone messages in sections (i) and (iii) of the previous exercise, compose simple faxes/letters to the hotel.*

16 *Fill in the gaps in this dialogue with appropriate words selected from the list below. Some words may be needed more than once, some not at all.*

pro; Doppelzimmer; möchte; der Parkplatz; frei; Dusche; bleiben; Fernseher; Minibar; Bad; nehme; bis; Nächte; 7 Uhr

Herr Schiller: Guten Tag. Ich ... bitte ein ... für mich und meine Frau. Haben Sie ein Zimmer ...?
Empfangsdame: Moment mal. Ja, haben wir. Wollen Sie ein Zimmer mit ... oder mit ...?
Herr Schiller: Mit ... bitte. Hat das Zimmer auch einen ...?
Empfangsdame: Ja, alle Zimmer haben ... und Radio.
Herr Schiller: Was kostet das Zimmer?
Empfangsdame: Das kostet DM 120 ... Nacht.

Herr Schiller:	Dann ... ich das Zimmer. ... ist das Frühstück?
Empfangsdame:	Jeden Morgen ab ... ...
Herr Schiller:	Gut. Und wo ist ... ...? Ich muß mein Auto hier lassen.
Empfangsdame:	Hier vorne. Bis wann ...Sie?
Herr Schiller:	Wir ... drei ... , ... Mittwoch.

17 *Write a short description of a different hotel along the lines of the Hotel Clara above, but varying the information and expressions. Your description should be about 100 words in length. Use the following points as a prompt:*

- age of hotel.
- location.
- distance from station/airport.
- conference facilities.
- dining facilities.

TALKING BUSINESS

Herr Wolff verpaßt seinen Flug

Herr Wolff fliegt heute von München nach Düsseldorf. Er hat heute Abend eine Besprechung mit Frau Hartmann und Herr Barzel in Bochum, und er muß vor 19.00 Uhr in Bochum sein. Ein Kollege fährt ihn zum Flughafen. Es herrscht aber heute viel Verkehr. Herr Wolff kommt spät am Flughafen München an, und er läuft zum Check-in-Schalter.

30

Markus Wolff:	Guten Tag, ich fliege nach Düsseldorf - Flug Nummer LH478, um 14.45 Uhr. Kann ich den Flug noch erreichen?
Check-in clerk:	Ich glaube nicht. Moment bitte.... Nein, leider nicht - die Maschine fliegt gleich ab - es ist jetzt 14.40 Uhr.
Markus Wolff:	Aber wenn ich zum Flugsteig laufe?
Check-in clerk:	Nein - Sie sind wirklich zu spät. Von hier aus bis zum Flugsteig 36A brauchen Sie mindestens 10 Minuten.
Markus Wolff:	Was kann ich jetzt tun? Ich muß vor 19.00 Uhr in Bochum sein!

Check-in clerk: Augenblick bitte - ich schaue mal nach... Ja - es gibt einen Swissair-Flug nach Düsseldorf um 15.30 Uhr.
Markus Wolff: Sind noch Plätze frei?
Check-in clerk: Ja - Sie haben Glück! Die Maschine ist nicht voll besetzt. Ihr Flugschein, bitte.
Markus Wolff: Bitte schön.
Check-in clerk: Danke. Haben Sie Gepäck mit?
Markus Wolff: Nein, nur die Aktentasche.
Check-in clerk: Also, da haben Sie die Bordkarte. Gehen Sie bitte um 15.00 Uhr zum Flugsteig 24B.
Markus Wolff: Danke schön! Gibt es hier ein Telefon?
Check-in clerk: Sie finden die Telefonzellen in der Halle B, neben der Treppe.
Markus Wolff: Und ein Faxgerät?
Check-in clerk: Da gehen Sie am besten zum Informationsschalter - auch in Halle B.
Markus Wolff: Danke sehr.
Check-in clerk: Bitte schön.

kann ich den Flug noch erreichen	can I still make the flight?
Augenblick	wait a moment
ich schaue nach	I'll check
nicht voll besetzt	not fully booked

Übung

18

(i) What is the reason for Herr Wolff's late arrival at the airport?
(ii) Why can't he make his scheduled flight?
(iii) Why is it important for him to be in Bochum by 7 pm?
(iv) How much luggage has he?
(v) Where are the telephones?

3P *Frau Hartmann kommt in Bochum an. Sie fährt im Taxi zum Hotel Brenner.*

Empfangsdame: Guten Tag.
Frau Hartmann: Guten Tag. Ich glaube, Sie haben ein Zimmer für mich.
Empfangsdame: Ja, auf welchen Namen, bitte?
Frau Hartmann: Auf den Namen Hartmann, Marion Hartmann. Ich besuche die Firma Dietrich AG.
Empfangsdame: Moment, bitte. Ich schaue mal nach... ja. So, Sie haben Zimmer 240, im zweiten Stock.
Frau Hartmann: Wo ist der Aufzug?
Empfangsdame: Gleich hier rechts.
Frau Hartmann: Danke.
Empfangsdame: Ich habe auch einen Fax für Sie, Frau Hartmann – von Herrn Wolff.

Übung

19 *Herr Wolff has been delayed in Munich, and has sent a fax to Frau Hartmann. In the fax he wishes to tell her that he is arriving at about 7.30 pm, and he will meet her and Wolfgang Barzel at the hotel at that time. A table is reserved in the restaurant for 7.*

Compose in German the fax from Herr Wolff to Frau Hartmann.

3Q *Frau Hartmann trifft Herrn Barzel und Herrn Wolff im Hotel.*

(MH: Marion Hartmann. MW: Markus Wolff. WB: Wolfgang Barzel)

MW: Guten Abend, Frau Hartmann.
MH: Guten Abend, Herr Wolff.
MW: Darf ich Herrn Barzel vorstellen? Er ist unser Finanzleiter. Herr Barzel, Frau Hartmann.
MH: Freut mich.
WB: Freut mich auch, Frau Hartmann. Wie war die Reise?
MH: Sehr gut, danke. Keine Probleme.
WB: Und wie lange bleiben Sie?
MH: Nur bis morgen. Übermorgen fahre ich nach Spanien.
WB: In Urlaub?
MH: Leider nicht. Ich fahre zu einer Konferenz.
MW: So, morgen besprechen wir die neue Maschinenreihe, nicht wahr?
MH: Ja, ich habe einige Fragen darüber, besonders über die Preise!
WB: Ja, ja. Das können wir morgen besprechen! Jetzt essen wir. Herr Wolff, Sie kennen dieses Restaurant, nicht wahr?
MW: Ja, ich finde es sehr gut.
MH: Was empfehlen Sie?
MW: Die Schnitzel und die Fischgerichte sind besonders gut.

Dietrich AG

Markus Wolff
Verkaufsleiter

Lindenstraße 26 Telefon: 0234 32 47 58

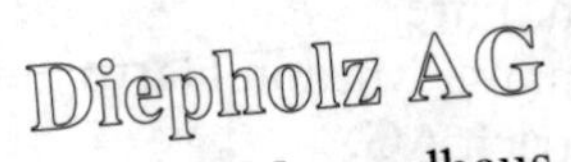

Versandhaus

Marion Hartmann
Leiterin

Marktplatz 45, Stuttgart, Tel: 0711 51 67 06, Telefax 0711 51 67 01

Dietrich AG

Wolfgang Barzel
Finanzleiter

Lindenstraße 26
Bochum
Telefon: 0234 32 47 58
Telefax: 0234 56 48 67

Language structures

1. The accusative case

The accusative case is used in German to designate the *object* of the verb:

In English:

I see him. — *him* is the object of the verb 'see'. It is in the accusative case.

I see the man. — *the man* is the object of the verb, and is in the accusative case, but we cannot distinguish because its form is the same as the nominative.

In German, the definite article also changes in the case of masculine nouns, to indicate the accusative.

Der Wagen ist neu.

Ich sehe *den* Wagen.

With neuter and feminine nouns, the definite article stays in the same form in the accusative case as the nominative.

Das Auto ist neu. Er kauft das Auto.

Die Wohnung ist klein. Sie kauft die Wohnung.

The pattern is:

	Masculine	Feminine	Neuter
Nominative Accusative Genitive Dative	der Mann den Mann	die Frau die Frau	das Büro das Büro

The pattern for Pronouns is:

	Masculine	Feminine	Neuter
Nominative Accusative Genitive Dative	er ihn	sie sie	es es

You can see again that it is the *masculine* form which changes. The neuter and feminine do not.

Some prepositions always take the accusative case. The most common examples are:

bis (until) durch (through) für (for) gegen (against) ohne (without) um (around, about)

2. Ins (= in das)

In das is often abbreviated to *ins*.

er kommt in das Zimmer – er kommt ins Zimmer

wir gehen in das Lokal – wir gehen ins Lokal

3. Plurals of nouns

The plurals of nouns do occasionally follow a certain pattern (i.e. many masculine nouns 'modify' the vowel and add *-e*, and many feminine nouns add *-en*) but the only way to be sure is to learn the plural of the noun when you learn its singular.

Here are some examples which follow the regular 'pattern':

Masculine:

der Sohn	die Söhne
der Baum	die Bäume
der Fuchs	die Füchse

Feminine:

die Frau	die Frauen
die Lampe	die Lampen
die Wohnung	die Wohnungen

Neuter:

das Haus	die Häuser
das Brett	die Bretter

and some which do not:

der Mann	die Männer
die Tochter	die Töchter
das Hemd	die Hemden

4. The dative

Is used to indicate the indirect object:

Er gibt *dem Mann* das Buch.
He gives the man the book. (= to the man)

Wir geben *der Frau* das Buch.
We give the woman the book.

Er zeigt *dem Kind* das Auto.
He shows the child the car.

It is also used after certain prepositions:

mit mit dem Auto
nach nach der Arbeit
zu zum Bahnhof (= zu dem Bahnhof)

The full pattern of nominative, accusative and dative forms of the definite article is:

	Masculine	Feminine	Neuter
Nominative	der Mann	die Frau	das Auto
Accusative	den Mann	die Frau	das Auto
Genitive			
Dative	dem Mann	der Frau	dem Auto

5. Expressions of time

Duration of time, and points of time, can be expressed in the accusative case:

Jeden Morgen gehen wir aus.
Jeden Abend kommt sie nach Hause.
Der Urlaub dauert einen Monat.
Die Konferenz dauert einen Tag.

6. Modal verbs

Verbs like *können* (modal verbs) take a dependent infinitive:

ich kann gehen I can go
wir müssen essen we must eat
wir dürfen spielen we may play

The infinitive is placed at the end of the clause in question:

Wir können um 19.00 Uhr essen (we can eat at 7).

Er muß am Freitag nach Hamburg fahren (he has to go to Hamburg on Friday)

Note that in the singular forms, these verbs are irregular:

müssen ich muß, du mußt, er/sie/es muß

dürfen ich darf, du darfst, er/sie/es darf

können ich kann, du kannst, er/sie/es kann

Übungen

20 The accusative

Insert the appropriate form of the definite article, in the accusative case. To help you, the nominative form of the noun is given after each sentence.

(i) Die Sekretärin schreibt ... Brief. (der Brief)
(ii) Er kauft ... Fahrschein. (der Fahrschein)
(iii) Wir reservieren ... Zimmer. (das Zimmer)
(iv) Er liest ... Buch. (das Buch)
(v) Kennen Sie ... Faxnummer? (die Faxnummer)
(vi) Er verpaßt ... Zug. (der Zug)
(vii) Ich kann ... Frühstück nicht essen. (das Frühstück)
(viii) Wir können ... Bahnhof nicht finden. (der Bahnhof)
(ix) Er findet ... Arbeit sehr schwierig. (die Arbeit)
(x) Wir verpassen ... Flug. (der Flug)

21 Prepositions taking the accusative

Insert the appropriate form of the definite article.

(i) Wir gehen durch ... Halle.
(ii) Er geht durch ... Konferenzraum.
(iii) Ohne ... Wagen kann ich nichts machen.
(iv) Ich habe nichts gegen ... Vorschlag.
(v) Sie arbeitet für ... Firma in London.
(vi) Er geht um ... Ecke.
(vii) Wir sitzen um ... Tisch herum.

22 Prepositions taking the dative

Insert the appropriate form of the definite article. Where necessary, contract 'zu dem' to 'zum', 'in dem' to 'im', and 'zu der' to 'zur'.

(i) Wir fahren mit ... Bus in die Stadt.
(ii) Sie müssen gleich zu ... Messe fahren!
(iii) Wir sehen aus ... Fenster.
(iv) Seit ... Spiel ist er müde.
(v) Sie ist mit ... Sendung zufrieden.
(vi) Das Geld kommt von ... Chef.
(vii) Sie geht zu ... Bank.
(viii) Wir arbeiten bei ... Firma Braun.
(ix) Nach ... Essen gehen wir aus.
(x) Er kommt aus ... Büro.
(xi) Vorsicht bei ... Abfahrt!
(xii) Gehen Sie bitte zu ... Informationsschalter.

23 Plurals of nouns

Put the following sentences into the plural. You will need to check some of the plural forms in your dictionary.

(i) Der Mann kauft die Fahrkarte nach Hamburg.
(ii) Die Vertreterin fährt nach Köln.
(iii) Die Maschine ist nicht voll besetzt.
(iv) Der Leiter verpaßt den Flug.
(v) Die Aktentasche ist hier.
(vi) Der Zug fährt gleich ab.
(vii) Der Chef schreibt den Brief.
(viii) Das Hotel ist in Hamburg.
(ix) Sie kauft das Hemd.

24 Modal verbs

Rewrite the following sentences using the appropriate form of the modal verb.

e.g. Ich esse hier. (können) = Ich kann hier essen.

(i) Wir übernachten in München. (müssen)
(ii) Er fährt nach Hamburg. (müssen)
(iii) Ich schreibe den Brief jetzt. (können)
(iv) Sie bleibt bis Donnerstag hier. (dürfen)
(v) Ich finde meine Kreditkarte nicht. (können)
(vi) Wir gehen um 19.00 Uhr. (dürfen)

Assignment

3R **Task A** *Listen to the recorded telephone message from Frau Hartmann to Markus Wolff, and note down in English the main points of the message.*

ich habe einen Termin bei...	I have an appointment with...
Maschinenreihe	range of machines

Task B *Compose a fax from Markus Wolff to Frau Hartmann. Include the following points.*

- am sending the pricelist tomorrow
- am going to France on Wednesday
- I'm back on Friday
- we can discuss matter further then
- I'll come to Munich on Saturday – please reserve hotel room for me.

Task C *Ring the hotel in Munich (Hotel Arcadia) to book accommodation for Herr Wolff. He's arriving Saturday, leaving Monday. Room with bath or shower and TV. Confirm price.*

Your tutor will play the role of the hotel receptionist/reservations clerk.

Vokabular

Abend (der) evening
Abfahrt (die) departure
abflugbereit ready to depart (plane)
Abreisezeit (die) departure time
Abschnitt (der) section
Abteilungsleiter (der) department manager
Aktentasche (die) briefcase
angegeben given, stated
Ankunft (die) arrival
Anschluß (der) connection
Aufzug (der) lift
Augenblick (der) moment
Autobahnausfahrt (die) motorway exit
Bahnhofsvorhalle (die) station concourse, hall
Bedienung (die) service
beheizt heated
beschließen to decide
besetzt occupied
besonders particularly
besprechen to discuss
Besprechung (die) discussion
bestätigen to confirm
Bestellung (die) order
Betreff re (in letters)
billig cheap
bleifrei unleaded (petrol)
Bordkarte (die) boarding card
brauchen to need
Brüssel Brussels
Bundesbahn (die) (=Deutsche Bundesbahn) German Rail

dauern to last
deshalb therefore
Doppelzimmer (das) double room
dringend urgent
dritte third
Durchsage (die) message, announcement
Dusche (die) shower
dürfen to be allowed to

Ecke (die) corner
Eilzug (der) medium-fast train
Einbettzimmer (das) single room
einfach simple, (also 'single')
Einzelzimmer (das) single room
Empfangsdame (die) (female) receptionist
empfehlen to recommend
enthalten to contain, include
entschuldigen to excuse
Entschuldigung! excuse me!
erreichen to reach, catch

Fahrkarte (die) ticket
Fahrkartenschalter (der) ticket counter
Fahrschein (der) ticket
Fahrt (die) journey, trip
Farbfernseher (der) colour television
Faxgerät (das) fax machine
Fenster (das) window
Finanzleiter (der) finance manager
Fischgerichte fish dishes
fliegen to fly
Flug (der) flight
Fluggäste passengers (airline)
Flughafen (der) airport
Flugschein (der) ticket (airline)
Flugsteig (der) gate (airport)

Gaststätte (die) (approx.) cafe, inn, pub
Gepäck (das) luggage
geradeaus straight on
Geschäftsreise (die) business trip
Getränke drinks
Gleis (das) platform, track
Gründung (die) founding
gurten belt up (seat belt)

Halbpension (die) half board
Hallenbad (das) indoor swimming pool
Hauptbahnhof (der) main station
hoffentlich hopefully, I hope

inbegriffen included
Informationsschalter (der) information desk
Interregio interregional train

Jugendliche young people

Kegelbahn (die) skittle alley
Kinderliegen safety seats (very young children)
Kindersitz (der) child's seat
Kino (das) cinema
Köln Cologne
Kreuzung (die) crossroads
Küche (die) kitchen, cuisine

leichtverdaulich easily digestible
leider unfortunately
links left
Lokal (das) pub

Mahlzeit (die) meal
Maschinenreihe (die) series, range of machines
Mehrwertsteuer (die) VAT
mindestens at least
mitteilen to inform
Mitteilung (die) message
möglich possible
müde tired

Nachricht (die) news, item of news
Nacht (die) night
nehmen to take
Nichtraucher (der) non-smoker
nur only

Ostern Easter

Parkplatz (der) car park
Pauschalangebot (das) inclusive offer, package
planmäßig scheduled
Preis (der) price
Preisliste (die) price list
Prozent percent

Raststätte (die) motorway services
Raucher (der) smoker
Reisepaß (der) passport
Rückfahrkarte (die) return ticket
Rücksitz (der) rear seat

Sache (die) matter, issue
schicken to send
Schlange (die) queue
schließen to close
Schnellzug (der) express train
schon already
schreiben to write
schwierig difficult
selbsttätig independently

Sendung (die) consignment
sitzen to sit
sofort at once
spät late
spielen to play
Straßenarbeiten roadworks
im Stundentakt one per hour (trains)

Tagung (die) meeting, conference
Tankstelle (die) petrol station
Tankwart (der) pump attendant
täglich daily
Telefonzelle (die) telephone cabin
Termin (der) appointment
Tiefgarage (die) underground garage, car park
Treppe (die) step, stairway

ungeduldig impatient
Urlaub (der) holiday, leave
überladen overloaded
übermorgen day after tomorrow
übernachten to stay overnight

Veranstaltungsraum (der) room for functions
verbringen to spend (time)
vergessen to forget
Verkehr (der) traffic
Verkehrsstau (der) traffic jam
verpassen to miss
Verspätung (die) delay
Verwandte relatives
vollautomatisch fully automatic
Vollpension (die) full board
volltanken to fill up (petrol)
Vorschlag (der) suggestion
Vorsicht (die) caution
vorstellen to introduce

warum? why?
Weihnachten Christmas
Weinstube (die) wine bar
wiederholen to repeat
auf Wiederschauen goodbye
auf Wiedersehen goodbye
wirklich really
Woche (die) week
Wochenende (das) weekend

zahlen to pay
Zentrum (das) centre
Zimmerschlüssel (der) room key
zufrieden satisfied
Zug (der) train
Zweibettzimmer (das) twin bed room

Unit **4**

HEALTH AND LEISURE

You will learn to:

- Talk about your holidays
- Order a meal in a restaurant
- Describe your leisure pursuits
- Talk about your health

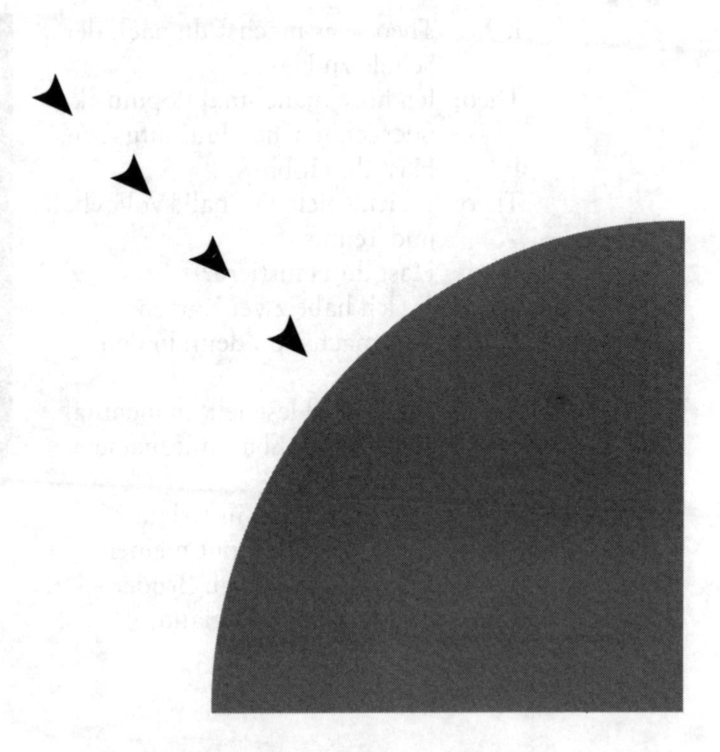

Dialogue

LEISURE PURSUITS

4A *Max Berger*

Interviewer:	Max, was machst du in deiner Freizeit?
Max:	Ich spiele Tennis und ich schwimme gern.
Interviewer:	Und was noch?
Max:	Manchmal gehe ich ins Eiscafe oder ins Kino.
Interviewer:	Fährst du in Urlaub?
Max:	Ja, im Herbst fahren wir nach England. Wir mieten ein Haus dort.

Fächer	subjects
auf einen Spielplatz	to a playground
mieten	to rent

4B *Theo Berger*

I:	Theo, was machst du nach der Schule zu Hause?
Theo:	Ich höre manchmal Popmusik, oder ich mache Hausaufgaben.
I:	Hast du Hobbys?
Theo:	Ja, ich spiele Fußball, Volleyball und Tennis.
I:	Hast du Haustiere?
Theo:	Ja, ich habe zwei Katzen.
I:	Was machst du denn in den Ferien?
Theo:	Manchmal lese ich, manchmal spiele ich Fußball mit meinen Freunden.
I:	Fährst du nicht in Urlaub?
Theo:	Doch. Ich fahre mit meinen Eltern und meinem Bruder – meistens nach England.

Übungen

1 *Insert suitable verbs in the gaps.*

In seiner Freizeit ... Max Tennis. Er ... auch gern. Manchmal ... er ins Eiscafe. Im Herbst ... er mit seiner Familie nach England. Die Familie ... ein Haus dort.

2 *Give suitable responses to the questions.*

(i) Was machen Sie abends zu Hause?
(ii) Und was tun Sie am Wochenende?
(iii) Haben Sie Hobbys?
(iv) Fahren Sie in Urlaub?

4C Kati Resing

In meiner Freizeit spiele ich Tennis, Handball und ich gehe abends öfter joggen. Ich fahre auch häufig mit meiner Freundin auf dem Fahrrad, zum Beispiel über die Grenze nach Holland. Nach Winterswijk sind es nur ein paar Kilometer und man kann schnell dorthin kommen. Ab und zu gehe ich auch Schwimmen. Ich lese viel und spiele gern Klavier.

In den Ferien verreise ich mit den Eltern oder meiner Freundin. In diesem Sommer fahren wir nach Griechenland. Es ist sehr schwer für Mädchen hier in der Stadt, einen Ferienjob zu bekommen. Es gibt ein paar Jobs in der Gastronomie, wo Mädchen als Aushilfen zum Servieren einspringen können, aber für Jungen gibt es wesentlich mehr Angebote, denn sie können auch schwerere körperliche Arbeiten machen.

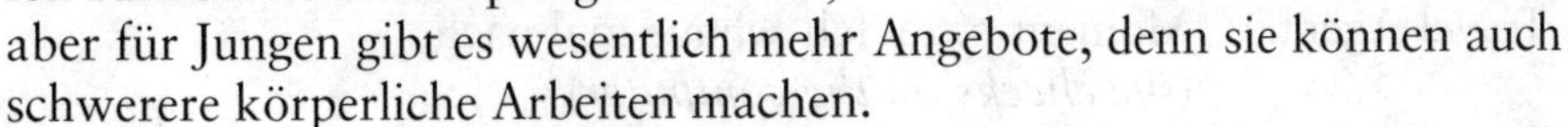

öfter	frequently
häufig	often
über die Grenze	over the border
das Klavier	piano
die Angebote	offers
körperliche Arbeiten	physical work

3 *Form sentences by matching two halves.*

(i)	Wir fahren im Herbst	(a)	gern.
(ii)	Ich fahre mit	(b)	auf dem Fahrrad.
(iii)	Ich spiele	(c)	gehe ich joggen.
(iv)	Meine Hobbys sind	(d)	nach England.
(v)	Abends	(e)	meinem Bruder und meinen Eltern.
(vi)	Ich fahre häufig	(f)	Tennis und Volleyball.
(vii)	Klavier spiele ich auch	(g)	Fußball.

4D **4** *Listen to the dialogue on tape, and answer the questions.*

(i) Was liest Frau Herder?
(ii) Wohin möchte Frau Herder fahren?
(iii) Was möchte Sie dort sehen? west coast
(iv) Wann fährt Frau Herder in Urlaub? 3 weeks => August
(v) Wann fährt Herr Biedermann? end of August
(vi) Wohin fährt er? england, we

4E *Im Reisebüro*

Frau Herder bucht ihre Urlaubsreise

Travel Agent: Guten Morgen. Wie kann ich Ihnen helfen?
Frau Herder: Morgen. Ich habe vor 2 Tagen diesen Prospekt bekommen, und ich möchte eine Reise buchen.
Travel Agent: Ja, gerne. Wohin möchten Sie fahren?
Frau Herder: Das ist hier die Pauschalreise nach Kalifornien. Auf Seite 15.
Travel Agent: Ach ja. Und wann wollen Sie fahren?
Frau Herder: Mitte bis Ende August.
Travel Agent: Wieviele Personen?
Frau Herder: Zwei - mein Mann und ich.
Travel Agent: Wollen Sie ab Frankfurt fliegen?
Frau Herder: Wenn möglich.
Travel Agent: Moment bitte. Ich schaue mal nach.
(*she checks on the computer*)
Travel Agent: Ja, das wäre eine Möglichkeit...
Also: Flug von Frankfurt nach Los Angeles am 16. August. Der Rückflug ist von Los Angeles nach Frankfurt am 30. August. Dann haben Sie eine Woche im Holiday Inn in Los Angeles, und eine Woche im Hilton in San Francisco. Den Preis sehen Sie dort...
Frau Herder: Das ist prima. Ja, das nehmen wir.
Travel Agent: Das wollen Sie gleich buchen?
Frau Herder: Ja, bitte.

ich habe ... bekommen	I have received...
Pauschalreise	package holiday
ich schaue mal nach	I'll check
das wäre	that would be
prima	excellent

Übung

5 *Perform the following role-play with your partner/tutor.*

Client:	(*Require holiday to Greece*)
Travel Agent:	(*When?*)
Client:	(*Middle or end of July*)
Travel Agent:	(*Flight from?*)
Client:	(*Düsseldorf or Frankfurt*)
Travel Agent:	(*Accommodation?*)
Client:	(*One double room*)
Travel Agent:	(*For how long?*)
Client:	(*Two weeks*)
Travel Agent:	(*Have possibility – flight Düsseldorf to Athens, outward 14 July, return 28 July. Good hotel.*)
Client:	(*Establish cost and book.*)

Johann Peine

Johann Peine arbeitet bei der Firma Dietrich in Bochum. Jedes Jahr fährt er mit seiner Familie in Urlaub. Vor zwei Jahren ist er nach Frankreich gefahren, und letztes Jahr nach Italien. Dieses Jahr aber will er nach Wien fahren. Er hat schon an ein Hotel geschrieben, um zwei Doppelzimmer zu reservieren: Ein Zimmer für Herrn Peine und seine Frau, und das andere für seine zwei Töchter. Normalerweise fahren die Peines mit dem Auto, aber dieses Jahr will Herr Peine nicht fahren. In Wien braucht er das Auto nicht, weil die öffentlichen Verkehrsmittel sehr gut sind. Die Familie fliegt von Frankfurt nach Wien und verbringt zwei Wochen im Hotel Wiener Fürst, in der Stadtmitte.

Übungen

6 *You are Herr Peine. Answer the following questions.*

(i) Wohin fahren Sie dieses Jahr auf Urlaub?
(ii) Fahren Sie allein?
(iii) Wo waren Sie letztes Jahr auf Urlaub?
(iv) Wie fahren Sie dieses Jahr?
(v) Wie lange bleiben Sie?
(vi) Wo ist das Hotel?

7 *Rewrite the text about the Peine family in the 'ich' form. You may have to amend some of the content for the sake of logic.*

4F **8** *Listen to these three people describe themselves and their hobbies and then tick the boxes below to indicate the hobbies of Christian, Kerstin and Stefan.*

	Musik	Schwimmen	Tischtennis	Lesen	Rad-fahren
Christian	✓				
Kerstin		✓			✓
Stefan			✓	✓	✓

4G **9** *Hermann Meier arbeitet morgens im Verkehrsamt in Vreden. Er beschreibt seine Tätigkeit und seine Hobbys.*

Ich heiße Hermann Meier und wohne in Vreden. Ich komme aus dem Emsland und von Beruf bin ich Diplombetriebswirt. Ich bin seit vier Jahren Rentner und arbeite aus gesundheitlichen Gründen nicht mehr. Ich habe einige Hobbys. Ich sammle Briefmarken. Wir haben eine internationale

Arbeitsgruppe von Briefmarkensammlern (ich bin in der Landesgruppe). Ich fotografiere auch sehr gern. Ich habe viel freie Zeit. Manchmal fahre ich auch Rad mit meiner Frau durch die Gegend.

(i) When did Hermann Meier cease full-time work and why?
(ii) Where does he come from?
(iii) What three hobbies does he mention?
(iv) When is his free time?
(v) Does he go cycling alone?

Herr Meier talks about the visitors to his town, the accommodation, and the sights.

4H

Interviewer: Wie findet ein Besucher ein Hotelzimmer oder ein Pensionszimmer in Vreden?

Hermann Meier: Er kommt ins Büro, also ins Verkehrsamt, und wir finden ein Zimmer für ihn, wenn möglich. In der Regel dauert es eine halbe Stunde, ein Zimmer zu finden. Wir haben relativ wenige Zimmer hier in Vreden, aber sehr viele Besucher.

Interviewer: Wieviele Besucher?

Hermann Meier: Etwa 130 000 pro Jahr. Die meisten sind Tagesgäste. Sie kommen am Morgen und fahren abends wieder zurück.

Interviewer: Was kann ein Besucher hier in Vreden tun?

Hermann Meier: Man kann zum Beispiel in der Stadt einen Kneipenbummel machen, oder einen Einkaufsbummel. Man kann auch das Hamalandmuseum und auch die Stiftskirche besuchen. Die Kirche ist mehr als 900 Jahre alt. In der Nähe von Vreden sind auch Naturschutzgebiete. Es gibt zum Beispiel ein sehr großes Vogelschutzgebiet.

in der Regel	usually, as a rule
Tagesgäste	day visitors
Kneipenbummel	pub 'crawl'
Einkaufsbummel	shopping trip
Naturschutzgebiet	conversation area

Übung

10 *You are visiting Vreden from Cologne. You jotted down the times and various sights and activities. Write your note out in full (e.g. um 11.00 Uhr komme ich in Vreden an...)*

Mittwoch

11.00	*Ankunft in Vreden*
12.00	*Verkehrsamt*
12.30	*Hotel Grüner Baum*
13.00	*Mittagessen*
14.30	*Museum*
15.30 - 17.00	*Einkaufsbummel*
19.00	*Abendessen - Restaurant*

Donnerstag

10.00	*Stiftskirche*
11.00	*Bus ⟶ Vogelschutzgebiet*
15.00	*nach Köln*

4I

Volle Betten in Schleswig-Holstein

Schleswig-Holstein ist ein besonders beliebtes Urlaubsland. Voriges Jahr gab es im ersten Halbjahr 7 Prozent mehr Feriengäste als ein Jahr vorher. Von Juli bis Mitte August waren fast alle Hotel- und Pensionszimmer in Schleswig-Holstein ausgebucht. Man rechnet mit etwa 60 Millionen Übernachtungen für das ganze Jahr. Immer mehr Urlauber kommen aus den neuen Bundesländern, berichtet der Fremdenverkehrsverband.

beliebt	popular
gab es	there were
ausgebucht	booked up
aus den neuen Bundesländern	from the former GDR
der Fremdenverkehrsverband	tourist association

4J

Freizeit 2000

In einer Studie gibt das Freizeitforschungsinstitut eine Horrorvision der Freizeit im 21. Jahrhundert. Im Jahr 2000 werden wir mehr Freizeit und Wohlstand haben, aber viele Probleme auch: die Städte sind überfüllt mit Menschen, die Straßen mit Autos, die Hotels mit Gästen. Freizeit bedeutet Konsumzeit, und die Konsumenten leben über ihre Verhältnisse - sie kaufen, aber bezahlen mit Plastikkarten und machen immer mehr Schulden. Bei einer Umfrage befürchten 82% der Bundesbürger zunehmende Umweltbelastungen durch das Auto und wachsende Zerstörung der Landschaft durch mehr Freizeitanlagen.

über ihre Verhältnisse	beyond their means
Schulden	debts
Umfrage	survey
Umweltbelastung	environmental damage
Zerstörung	destruction
Freizeitanlagen	leisure facilities

Übungen

11 *Read the following two texts about industrial diseases, then answer the questions.*

Berufskrankheiten

Überstunden machen krank

Die IG Metall behauptet schon lange, daß viele Arbeiter nach hoher Überstundenzahl krank werden. Eine Studie der evangelischen Kirche zeigt auch andere Gefahren bei der Arbeit:

- mehr als 6 Millionen Männer und Frauen arbeiten häufig unter Lärmbelästigung
- mehr als 30 Millionen müssen bei der Arbeit knien oder sogar liegen
- mehr als 4 Millionen arbeiten bei Hitze, Kälte oder Nässe

Es gibt auch Probleme wegen Schichtarbeit und Gefahrstoffe: Der DGB schätzt, daß 50 000 Menschen jedes Jahr an Krebs sterben. Der Grund: Sie müssen jahrelang mit giftigen Stoffen arbeiten. Der DGB behauptet auch, daß über 100 000 Arbeitnehmer jedes Jahr an Berufskrankheiten sterben.

Überstunden	overtime
IG: Industriegewerkschaft	industrial trade union
Lärmbelästigung	excessive noise
Schichtarbeit	shift work
Gefahrstoffe	dangerous substances
DGB: der Deutsche Gewerkschaftsbund	equivalent of TUC
Krebs	cancer

RSI - Repetitive Strain Injury Syndrom

Ein Universitätsprofessor erklärt, daß mindestens 10% der Arbeiter an Bildschirmgeräten am 'RSI-Syndrom' leiden. Die ersten Symptome: Am Arm Taubheit oder Prickeln und dann Schmerzen (oft nach Feierabend). Die Schmerzen gehen nachts weg - aber schließlich bleiben sie. Man kann dann die Kaffeetasse nicht mehr halten. Nicht nur Sekretärinnen leiden, sondern auch Programmierer und Fließbandarbeiter: Arbeiter also, die vielleicht 1000mal pro Stunde dieselbe Bewegung durchführen. In den USA ist RSI der 'Spitzenreiter' der Berufskrankheiten.

Bildschirmgeräte	monitors
Taubheit	numbness
Fließband	assembly line, conveyor belt

(i) Which two bodies have reported on industrial diseases?

(ii) What problem do more than 30 million workers face?

(iii) What, according to the DGB, is the cause of many cancers?

(iv) What are the first symptoms of RSI?

(v) What type of workers suffer?

(vi) What causes the problem?

(vii) What is said about RSI in the USA?

 **4K** *Interview mit Norbert Borggrewe, Apotheker in Vreden*

Interviewer:	Guten Tag.
Norbert Borggrewe:	Guten Tag.
Interviewer:	Wie heißen Sie?
Norbert Borggrewe:	Mein Name ist Norbert Borggrewe.
Interviewer:	Was sind Sie von Beruf?
Norbert Borggrewe:	Ich bin Apotheker.
Interviewer:	Wo arbeiten Sie?
Norbert Borggrewe:	Ich arbeite in Vreden, einer Kleinstadt im westlichen Münsterland.
Interviewer:	Wieviele Mitarbeiter haben Sie?
Norbert Borggrewe:	Wir haben in unserem Betrieb drei Mitarbeiterinnen.
Interviewer:	Und wie sind die Arbeitszeiten?
Norbert Borggrewe:	Etwa 48 Stunden pro Woche. Der Betrieb öffnet morgens um halb neun bis mittags um 12.30 Uhr. Nach der Mittagspause geht es dann um 14.30 weiter bis 18.30.

Übung

12 *Complete the gaps in this description of Norbert Borggrewe. Select appropriate words from the list below if you require assistance. Some words may be needed more than once.*

Norbert Borggrewe ... Apotheker in Vreden. In seiner Apotheke ... er ... Mitarbeiterinnen. Die Arbeitszeiten ... 48 Stunden pro ... Norbert Borggrewe ... von morgens ... halb neun ... mittags um 12.30 Uhr. Am Nachmittag ... er dann bis 18.30.

hat; ist; drei; Woche; sind; um; arbeitet; bis

The following expressions are useful for a visit to the pharmacist or doctor.

was fehlt Ihnen?	what's wrong (with you)?
mir ist schlecht/übel	I feel ill
ich habe eine Erkältung/ ich bin erkältet	I have a cold
ich habe Fieber	I have a temperature
ich habe Husten	I've a cough
ich habe Kopfschmerzen	I have a headache
ich brauche etwas gegen...	I need something for...

ich bin gegen X allergisch	I am allergic to X
das Fieber messen	to take the temperature
ich gebe Ihnen Tabletten	I'll give you some tablets
ich gebe Ihnen eine Spritze	I'll give you an injection

Übung

13 *Describe your symptoms:*

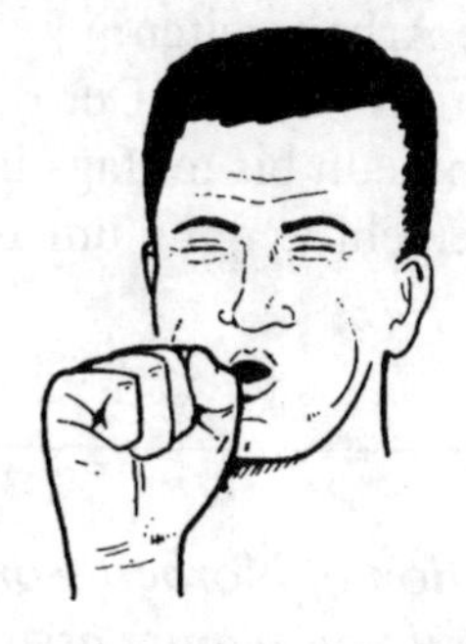
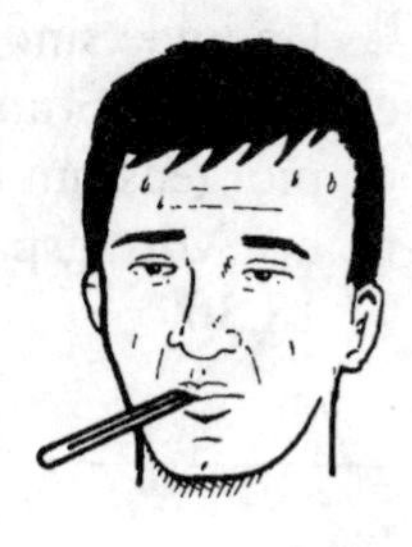
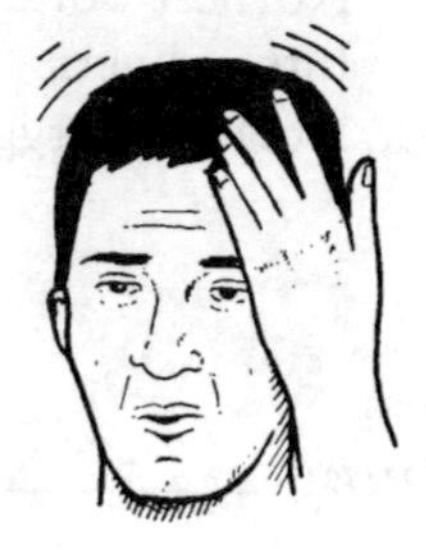

Der Notdienst

Am Mittwochnachmittag sind die Apotheken im allgemeinen geschlossen. In dieser Zeit gibt es einen Notdienst. In jeder Ortschaft hat ein Apotheker Notdienstbereitschaft außerhalb der normalen Ladeneröffnungszeiten, das heißt auch während der Mittagspause und an den Wochenenden, so daß jederzeit eine Arzneimittelbelieferung erfolgen kann.

Notdienst	emergency service
geschlossen	closed
Ortschaft	locality
Arzneimittelbelieferung	dispensing of medicines

 **4L** **Die Ausbildung des Apothekers**

Herr Borggrewe describes the training of the pharmacist (he is speaking here of his own experience and training. It is in fact more common to proceed from school to university).

Normalerweise braucht es ein dreieinhalbjähriges Studium an einer Berufsschule, und dann nach diesen dreieinhalb Jahren gibt es eine einjährige praktische Ausbildung in einer öffentlichen Apotheke oder in einer Krankenhausapotheke. Dann kommt, nach viereinhalb Jahren, das Staatsexamen. Auf Antrag erhält man von dem Regierungspräsidenten dann die Approbation.

Übung

14 *Give brief details of the pharmacist's training as described by Herr Borggrewe.*

Health insurance in Germany

German health insurance is via various bodies called 'Krankenkassen', which function as private institutions under some public control. Although it is true that the standard of health care in Germany is very high compared with many other countries, there are growing concerns about its cost.

One of the features of health care in Germany is the popularity of the 'Kur'. Many Germans visit 'Kurorte' for a period of two or three weeks or in some cases longer, in order to treat particular ailments, or simply to recover from the stress of modern-day living. There are hundreds of such 'Kurorte' in Germany, many of them specialising in particular ailments, such as digestive disorders, heart and circulation problems, asthma etc., and the 'Kur' is something taken very seriously by many Germans. It has however added to the spiralling costs of health care.

40 Jahre
Sanatorium Block

6-Tage-Frischzellenkur
mit fetalen Zellen
aus eigener, speziell
gezüchteter
Bergschafherde

- **Managerkrankheit**
  (Allgemeine Erschöpfung)
- Abnutzungs- und Verschleiß-erscheinungen
  ...auch an Gelenken
- Funktionelle Durchblutungsstörungen

Übung

4M **15** *Listen to what Herr Borggrewe says about the health insurance system. What three reasons does he give for the price rises in the health service in Germany?*

4N *Ein Zahnarzt beschreibt seine Arbeit und seine Praxis.*

Ich bin Zahnarzt in Vreden. Ich bin nicht in einer Einzelpraxis, sondern ich habe eine Praxisgemeinschaft mit einem Kollegen. Wir haben auch acht Mitarbeiterinnen oder Helferinnen - sie machen Mitarbeit am Stuhl, oder sie assistieren in der Verwaltung. Wir arbeiten ca. 40 Stunden in der Woche, und ein Drittel davon ist Verwaltungsarbeit. Das Schöne an dem Beruf eines Zahnarztes ist die relativ hohe Unabhängigkeit. Man kommt auch immer wieder mit neuen Patienten zusammen, und die Arbeit ist deshalb nicht eintönig.

Einzelpraxis	single practice
Praxisgemeinschaft	group practice
Verwaltung	administration
Unabhängigkeit	independence
eintönig	monotonous

4O *Der Zahnarzt spricht über Gesundheitsreform.*

Man spricht von einer Gesundheitsreform in Deutschland. Diese Reform gibt es aber schon seit etwa 12 Jahren. Man versucht seit langem, die Kosten zu senken. Ich glaube, die Kosten steigen, weil viele neue Zahnärzte auf den Markt kommen. Viel mehr Studenten studieren jetzt Zahnmedizin, aber auch kommen viele ausländische Zahnärzte, aus Holland, zum Beispiel.

TALKING BUSINESS

4P *Frau Hartmann, Herr Barzel und Herr Wolff sind im Restaurant.*

Kellnerin:	Bitte schön?
Marion Hartmann:	Also für mich die Forelle bitte - mit Salat und Salzkartoffeln.
Markus Wolff:	Und ich nehme das Jägerschnitzel - mit Pommes Frites und Salat.
Herr Barzel:	Die Scholle bitte - mit einem gemischten Salat.
Kellnerin:	Pommes Frites oder Kartoffeln dazu?
Herr Barzel:	Nein, danke.
Kellnerin:	Und zum Trinken?
Markus Wolff:	Eine Flasche Weißwein - Niersteiner - und eine große Flasche Mineralwasser.
Kellnerin:	Bitte schön.
Herr Barzel:	So, Frau Hartmann, wie lange arbeiten Sie bei Diepholz?
Marion Hartmann:	Seit 4 Jahren. Ich habe vorher bei einer Firma in England gearbeitet.
Herr Barzel:	Wo haben Sie studiert?
Marion Hartmann:	Ich habe BWL in Regensburg studiert: Mein Praktikum habe ich in den USA gemacht - in Cleveland.
Markus Wolff:	Wie gefällt Ihnen die Arbeit bei Diepholz?
Marion Hartmann:	Eigentlich sehr interessant. Zur Zeit muß ich aber viel reisen, und das ist sehr anstrengend.
Kellnerin:	Die Forelle?
Marion Hartmann:	Für mich, bitte...

Forelle	trout
Scholle	plaice
Praktikum	work placement
anstrengend	tiring
BWL (Betriebswirtschaftslehre)	Business Studies
Kellnerin	waitress

(*Note*: the German for waiter is **der Ober** or **der Kellner**. When addressing a waiter you say **'Herr Ober'**)

Other useful expressions in a restaurant:

bitte schön?	what would you like?
ich möchte...	I'd like...
haben Sie schon gewählt?	have you chosen?
guten Appetit!	bon appetit!
zum Wohl! / Prost!	cheers!
zahlen, bitte!	the bill, please!
ich habe einen Tisch bestellt	I've booked a table
auf den Namen Braun	in the name of Braun
der Ober	waiter
Herr Ober!	waiter!
Fräulein!	waitress!
hat's geschmeckt?	did you enjoy the meal?
(es) stimmt so	keep the change

das Hähnchen	chicken
das Steak	steak
das Schnitzel	escalope
der Salat	salad
Bratkartoffeln	fried potatoes
Dampfkartoffeln	boiled potatoes
Pommes frites	French fries
die Suppe	soup

Übungen

16 *With a partner, perform the following role-play.*

Waiter: (*ask for order*)
Diner: (*order meat dish, plus veg. or salad*)
Waiter: (*take drinks order*)
Diner: (*ask for suitable drink*)

(*At end of meal, waiter asks if everything was in order. Diner leaves tip.*)

17 *Read the following short descriptions, and write down in German a suitable meal for each person. You will probably need to make use of your dictionaries for this exercise.*

(i) Herr Braun ist etwas übergewichtig und er macht eine Diät. Er darf aber Wein oder Bier trinken.
(ii) Frau Herder ißt gern Fisch. Sie trinkt nur alkoholfreie Getränke.
(iii) Herr Lessing ißt keinen Fisch. Er treibt gern Sport, und er ißt lieber fettarme Gerichte.

4Q *Am folgenden Tag sind Frau Hartmann, Herr Wolff und Herr Barzel bei Dietrich AG. Sie besprechen die neue Bestellung von Diepholz.*

Markus Wolff: So, Frau Hartmann. Sie sagen, Sie finden unsere Preise etwas hoch?

Marion Hartmann: Ja, im Vergleich mit den Preisen voriges Jahr. Sie sind jetzt 8% höher. Das finde ich viel.

Herr Barzel: Vergessen Sie nicht, Frau Hartmann, daß das eine ganz neue Reihe ist!

Marion Hartmann:	Das verstehe ich, aber wir bestellen in großen Mengen, und wir erwarten einen größeren Rabatt.
Herr Barzel:	Ich hoffe, Sie wollen die Bestellung nicht widerrufen?
Marion Hartmann:	Nein, bestimmt nicht. Wir haben die Maschinen schon bestellt.
Markus Wolff:	Sind Sie mit der Qualität zufrieden?
Marion Hartmann:	Ja, unsere Kunden auch. Aber sie verlangen niedrige Preise. Wenn der Preis 8% höher ist als letztes Jahr, dann verlieren wir Kunden.
Herr Barzel:	Frau Hartmann, wir schätzen Ihre Kundschaft sehr. Diepholz ist ein wichtiger Kunde für uns. Wir besprechen die Sache nochmal mit dem Vorstand.

Frau Hartmann fährt nach München zurück und wartet auf eine Nachricht von Dietrich.

im Vergleich	in comparison
Rabatt	discount
widerrufen	cancel
verlangen	demand, require
Vorstand	executive board OR chairman

Dietrich AG
Markus Wolff
Verkaufsleiter
Lindenstraße 26
Bochum
Telefon: 0234 32 47 58
Telefax: 0234 56 48 67
Diepholz AG
Versandhaus
Marion Hartmann
Leiterin
Marktplatz 45, Stuttgart, Tel: 0711 51 67 06, Telefax 0711 51 67 01
Dietrich AG
Wolfgang Barzel
Finanzleiter
Lindenstraße 26
Bochum
Telefon: 0234 32 47 58
Telefax: 0234 56 48 67

Language structures

1. The *du* and *ihr* form of verbs

du is the 'intimate' form of address, used with people you know well, and in talking to young children and animals. The plural form is *ihr*.

gehen	du gehst - (you go - singular)
	ihr geht - (you go - plural)

If the verb stem ends in *-t*, then the *du* form ends in *-est* and the *ihr* form in *-et*

arbeiten	du arbeitest
	ihr arbeitet

With some verbs, the vowel changes in the 2nd and 3rd person singular forms,

sprechen	ich spreche
	du sprichst
	er spricht
	wir sprechen

You now know the full form of regular present tense verbs:

ich arbeite	I work
du arbeitest	you work
er,sie,es arbeitet	he, she, it works
wir arbeiten	we work
ihr arbeitet	you work
sie arbeiten	they work
Sie arbeiten	you work (polite form)

2. Possessive pronouns: mein, dein, unser, etc.

We have seen the personal pronouns already. The possessive pronouns (the equivalent of *my*, *your*, *his*, *her*, etc. are indicated below):

SINGULAR

ich	I	mein	my
du	you	dein	your
er	he	sein	his
sie	she	ihr	her
es	it	sein	its

PLURAL

wir	we	unser	our
ihr	you	euer	your
sie	they	ihr	their
Sie	you	Ihr	your

Thus my house = mein Haus
our car = unser Auto

These words take endings in accordance with their gender, number and case:

	Masculine	Feminine	Neuter
Nominative	mein Schuh	meine Lampe	mein Auto
Accusative	meinen Schuh	meine Lampe	mein Auto
Genitive	meines Schuhs	meiner Lampe	meines Autos
Dative	meinem Schuh	meiner Lampe	meinem Auto
	Plural		
Nominative	meine Schuhe		
Accusative	meine Schuhe		
Genitive	meiner Schuhe		
Dative	meinen Schuhen		

The endings of *dein, sein, ihr, Ihr, unser,* and *euer* are the same as those of *mein* in the above examples.

e.g. unsere Schuhe = our shoes
mit unserem Auto = with our car

3. Es gibt

Es gibt means *there is* or *there are.*

Es gibt ein Restaurant in dieser Straße

It is used with the accusative case.

Es gibt viele Leute... (there are a lot of people...)
Es gibt keinen Unterschied zwischen... (there is no difference between...)

4. Adjective endings after the definite article

After *der, die, das,* etc. adjectives take certain endings:

das neue Büro
die alte Wohnung
ich sehe den neuen Wagen
er ist mit dem neuen Vertreter

The full pattern is:

	Masculine	**Feminine**	**Neuter**
Nominative	der blaue Wagen	die alte Lampe	das neue Haus
Accusative	den blauen Wagen	die alte Lampe	das neue Haus
Genitive	des blauen Wagens	der alten Lampe	des neuen Hauses
Dative	dem blauen Wagen	der alten Lampe	dem neuen Haus
	Plural		
Nominative	die neuen Häuser		
Accusative	die neuen Häuser		
Genitive	der neuen Häuser		
Dative	den neuen Häusern		

(This is dealt with in further detail in Unit 6)

5. Seit

Seit is used with a present tense in German to express a past tense in English.

ich kenne ihn seit 7 Jahren   I have known him for 7 years

6. Daß

After *daß*, the verb goes to the end of the clause.

Ich weiß, daß er hier arbeitet.
Wir wissen, daß sie in München sind.

This also happens after *weil* (because), *wenn* (when/if) and several other conjunctions.

Er wohnt hier, weil er hier studiert.
Wir gehen aus, wenn er ankommt.

7. Perfect tense

The perfect tense of regular, weak verbs is formed in German by using the present tense of *haben* together with the past participle.

The past participle is formed by

- adding *ge-* to the beginning of the verb stem
- adding *(e)t* to the end

arbeiten gearbeitet

sammeln gesammelt

ich habe gearbeitet (I have worked/did work)

er hat gekauft (he has bought)

Note: verbs which end in *-ieren*, or which begin with *be-*, *er-*, *ent-*, *ver-*, *zer-*, do not add *ge-* to the stem to form the past participle:

ich habe studiert

er hat den Zug erreicht

wir haben das Essen bestellt

Übungen

18 The 'du'and 'ihr' form of verbs.

Insert the appropriate form of the verb.

(i) Ich kaufe ein Hemd. Was ... du?
(ii) Wir übernachten im Hotel. Wo ... ihr?
(iii) Ich komme um 6 Uhr. Wann ... du?
(iv) Ich arbeite bei Dietrich. Wo ... du?
(v) Wir fahren nach Hamburg. Wohin ... ihr?
(vi) Ich kenne den Mann nicht. ... du ihn?
(vii) Wir bleiben hier. ... ihr auch?
(viii) Ich stehe um 7 Uhr auf. Wann ... du auf?

19 Possessives

Insert the appropriate form of ***mein, dein, sein, ihr, unser, Ihr*** *or* ***euer:***

(i) Ich kann heute nicht in die Stadt fahren. ... Auto ist in der Werkstatt.
(ii) Wir besuchen heute ... Freunde in Essen.
(iii) Ich finde ... Arbeit sehr interessant.
(iv) Er arbeitet für ... Unternehmen. (our)

(v) Der Vertreter besucht ... Filiale in Hannover. (our)
(vi) Ich arbeite 8 Stunden pro Tag. ... Mittagspause ist von 12.00 bis 13.00 Uhr.
(vii) Ich habe nicht viel Freizeit, aber ... Hobbys sind Fußball und Tennis.
(viii) Wir wohnen nicht weit von hier. ... Haus ist ein kleines Zweifamilienhaus.
(ix) Sie haben ein kleines Haus in Essen, aber ... Ferienwohnung im Schwarzwald ist groß. (their)

20 Daß

Insert 'er/sie weiß, daß...' at the beginning of each sentence, and change the word order.

e.g. Er wohnt hier. Sie weiß, daß er hier wohnt.

(i) Ich arbeite in der Finanzabteilung.
(ii) Der Chef ist zur Zeit in den USA.
(iii) Wir besuchen die Messe morgen.
(iv) Meine Kollegen essen in der Kantine.
(v) Der Vertreter kommt um 11 Uhr.
(vi) Wir liefern die Waren heute.
(vii) Die Dame sucht mein Büro.
(viii) Er wartet am Bahnhof.

21 Perfect tense

Complete each of the following sentences with the appropriate form of one of these verbs.

studieren; bestellen; diskutieren; spielen; machen; reservieren; öffnen; arbeiten

(i) Gestern habe ich bis 8 Uhr ...
(ii) Wir haben das Essen schon ...
(iii) Am Samstag hat er Fußball ...
(iv) Wir haben über die Bestellung mit dem Vertreter ...
(v) Haben Sie schon ein Zimmer ...?
(vi) Diese Arbeit habe ich schon ...
(vii) Das Geschäft hat heute um 8.30 Uhr ...
(viii) Ich habe an der Uni in Regensburg ...

Assignment

 **4R** **Task A** *Listen to the taped message, and note down in English all relevant details.*

Task B *Compose a fax in reply to the telephone message. Include the following points.*

- thanks for call and for the offer
- you will discuss the matter with your colleagues
- will ring back by 11 a.m. tomorrow.

Task C *In the following telephone call your tutor/a fellow-student will play the role of Herr Barzel.*

Barzel: (*Offer acceptable?*)
Marion Hartmann: (*Discount OK - when can machines be delivered?*)
Barzel: (*Can deliver them by end of month.*)
Marion Hartmann: (*Earlier? In 10 days?*)
Barzel: (*Possible - will confirm by end of week.*)

Vokabular

Abendessen (das) evening meal
alkoholfrei alcohol-free
allgemein general
Angebot (das) offer
anstrengend exhausting
Antrag (der) application
Apotheke (die) chemist's shop
Approbation (die) certificate, diploma
Arbeitsgruppe (die) working party
Arzneimittelbelieferung (die) supply of medicines
Ausbildung (die) training

bedeuten to mean
befürchten to fear
beliebt popular
berichten to report
Beruf (der) occupation
Berufskrankheit (die) occupational disease
Berufsschule (die) F.E. college (approx.)
besprechen to discuss
Betrieb (der) company, firm
Bewegung (die) movement
Bildschirmgerät (das) monitor, VDU
Briefmarke (die) postage stamp
Briefmarkensammler (der) stamp collector
Bundesbürger (der) German
BWL
= Betriebswirtschaftslehre (die) Business Studies

Dampfkartoffeln boiled potatoes
dauern to last
durchführen carry out, carry through

eigentlich really
Einkaufsbummel (der) shopping trip
eintönig dull, monotonous
Einzelpraxis (die) individual practice
Eiscafe (das) ice-cream parlour
erhalten to receive
erkältet suffering from a cold

Erkältung (die) cold
erklären to explain
erreichen to reach

Fach (das) subject
fehlen to be missing, lacking
Feierabend (der) 'after work', leisure time
Ferien (pl.) holidays
Feriengäste holidaymakers
Ferienjob (der) vacation job
Ferienwohnung (die) holiday apartment
fettarm low in fat
Filiale (die) branch of company
Finanzabteilung (die) finance department
Fließband (das) assembly line
Fließbandarbeiter (der) assembly line worker
Freizeitanlage (die) leisure facility
Fremdenverkehrsverband (der) tourist office

Gefahrstoff (der) dangerous material
Gegend (die) region
Gesundheit (die) health
Getränk (das) drink
Gewerkschaftsbund (der) Trades Union Confederation
giftig poisonous
Grenze (die) border, limit

Hausaufgaben homework
Haustier (das) pet
Herbst (der) autumn
husten to cough

Industriegewerkschaft (die) industrial trade union

Jahrhundert (das) century

Kantine (die) canteen
Kartoffel (die) potato
Kellner (der) waiter
Kirche (die) church
Klavier (das) piano
Kneipenbummel (der) 'pub crawl'
knien to kneel
Konsument (der) consumer
Konsumzeit (die) consumer age
Kopfschmerzen (pl.) headache
körperlich physical
krank ill
Krankenhausapotheke (die) hospital pharmacy
Krankenkasse (die) sickness insurance fund
Krebs (der) cancer
Kunde (der) customer
Kundschaft (die) custom
Kunst (die) art

Ladeneröffnungszeiten shop opening times
Landschaft (die) landscape, scenery
Lärmbelästigung (die) noise pollution
Lieblingsfach (das) favourite subject
liefern deliver

Messe (die) trade fair
Mitarbeit (die) co-operation, assistance
Mitarbeiter (der) working colleague
Mitarbeiterin (die) female colleague

Naturschutzgebiet (das) conservation area
Nässe (die) wet, damp
Notdienst (der) emergency service
Notdienstbereitschaft (die) emergency cover

Ober (der) waiter
Ortschaft (die) small town, locality
öffentlich public

Pauschalreise (die) package tour
Praktikum (das) practical experience, work placement
Praxis (die) practice
Praxisgemeinschaft (die) joint practice, group practice
prickeln prickle, irritate

Rabatt (der) discount
Regel (die) rule
Rentner (der) pensioner
Rückflug (der) return flight

sammeln to collect
Sammler (der) collector
schätzen to estimate
Schichtarbeit (die) shift work
Schulden (pl.) debts
Spitzenreiter (der) leader, front runner
Staatsexamen (das) state examination

Taubheit (die) deafness, numbness
Tätigkeit (die) activity, job

Umfrage (die) survey, opinion poll
Umweltbelastung (die) environmental pollution
Unabhängigkeit (die) independence
Unterschied (der) difference
Urlaub (der) holiday
überfüllt overcrowded
übergewichtig overweight
übernachten to stay overnight
Übernachtung (die) overnight stay

Überstunden (pl.) overtime

verbringen to spend (time)
Verhältnisse (pl.) conditions
Verkehrsamt (das) tourist office
Verkehrsmittel (pl.) means of transport
Vertreter (der) representative
Verwaltung (die) administration
Vogelschutzgebiet (das) bird sanctuary
Vorstand (der) executive board (company)
Werkstatt (die) workshop, shop floor
wesentlich essentially, basically
widerrufen to cancel
Wohlstand (der) affluence

Zahnarzt (der) dentist
Zahnmedizin (die) dentistry
Zerstörung (die) destruction
zufrieden satisfied
zunehmen to increase

Unit 5

FINANCE

You will learn to:

- Cash cheques or travellers' cheques
- Change money
- Understand details of financial transactions and institutions

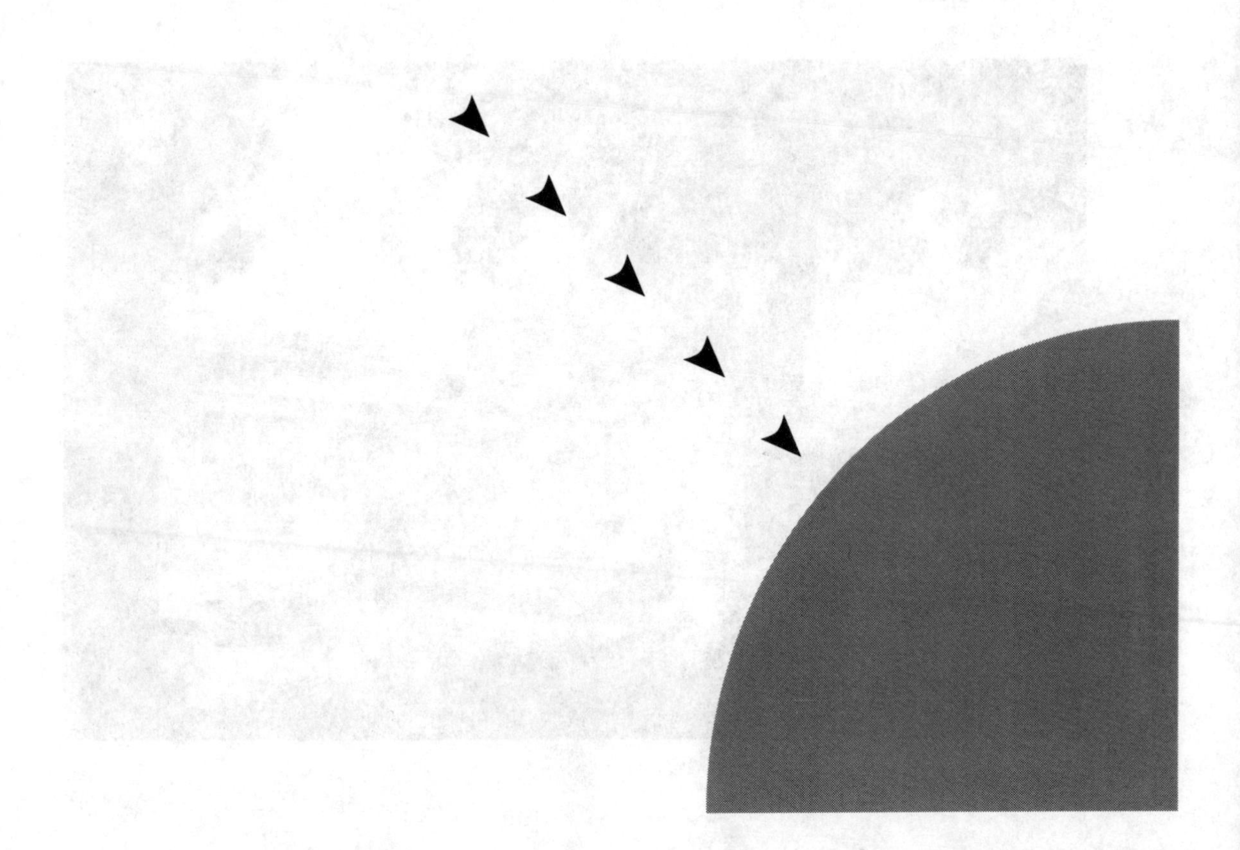

Dialoge

AUF DER BANK

5A A: Ich möchte bitte einen Reisescheck einlösen.
B: Ja, gerne. Haben Sie bitte Ihren Reisepaß?
A: Ja.
(*hands over the passport*)
B: Können Sie bitte den Scheck unterschreiben?
A: So. Bitte.
B: Danke. Und Sie bekommen 200 Mark.
A: Danke sehr. Wiedersehen.

Reisescheck	traveller's cheque
unterschreiben	to sign

5B A: Ich möchte bitte £200 in D-Mark wechseln.
B: Gerne. Das sind also 500 Mark.
A: Können Sie mir bitte einige 20-Mark-Scheine geben?
B: Ja. Viermal 100 Mark, und fünfmal 20 Mark - macht 500 Mark.
A: Danke.
B: Bitte.

5C A: Guten Tag
B: Guten Tag, bitte schön?
A: Kann ich hier einen Euroscheck und auch ein paar Reiseschecks einlösen?
B: Ja, gerne.
A: Also, da ist der Euroscheck.
B: Es fehlt nur noch das Datum - hier oben.
A: Ach ja, Entschuldigung.
B: Und können Sie nochmal auf der Rückseite unterschreiben?
A: Ja, sicher.
B: Und Ihre Euroscheckkarte, bitte.
A: Bitte schön. (*gibt ihr die Karte*).
B: Das sind dann 250 DM, nicht?
A: Ja, stimmt. Und ich möchte auch die Reiseschecks einlösen.
B: Wie viele Reiseschecks haben Sie?
A: Drei - insgesamt £150. Wie ist der Wechselkurs?
B: Zur Zeit steht er bei 2,60 - nicht so günstig! Also, dann brauche ich noch bitte Ihren Ausweis.
A: Warum brauchen Sie den? Sie haben ja meine Euroscheckkarte gesehen.
B: Ja, das weiß ich, aber ich brauche Ihre Paßnummer, wenn Sie Reiseschecks einlösen wollen!
A: So ein Aufwand! Da haben Sie den Paß.
B: Danke sehr. Also, das macht insgesamt 640DM. Bitte gehen Sie zu der Kollegin an Kasse 6.
A: Danke sehr. Wiedersehen.
B: Auf Wiederschauen.

es fehlt...das Datum	the date is missing
auf der Rückseite	on the back
Wechselkurs	rate of exchange
Ausweis	identity card

Unit 5 Finance

Übungen

1 *Fill in the gaps with suitable words. If necessary use your dictionary.*

(i) Herr Gruber geht in die ... Er möchte seine Reiseschecks ...
(ii) Um mit einem Scheck zu bezahlen, müssen Sie ein ... bei einer Bank haben.
(iii) Ich muß £500 auf mein Konto ...
(iv) Ich gehe zur Bank. Ich will etwas Geld ...
(v) Ich habe kein Bargeld bei mir. Ich muß einen Scheck ...
(vi) Ich bleibe ein ganzes Jahr in Deutschland, und ich muß deshalb ein Konto ...
(vii) Herr Gruber geht in die Wechselstube. Er will 100 Dollar ...
(viii) Ich muß die Rechnung in bar ...

2 *Give appropriate responses. Your partner/tutor will play the role of the bank clerk.*

A: Guten Tag.
B: (*greet him/her*)
A: Bitte schön?
B: (*you want to change £100 into Marks. Ask the rate of exchange*)
A: Der Kurs steht bei 2,50 Mark.
B: (*ask for some 10-Mark notes*)

3 *The roles are now reversed.*

A: (*hello*)
B: Guten Tag.
A: (*ask what customer wants*)
B: Ich möchte bitte einen Reisescheck einlösen.
A: (*for what amount?*)
B: 400 Mark
A: (*do you have your Eurocheque card?*)
B: Ja.
A: (*passport also?*)
B: Ja, da haben Sie ihn.
A: (*go to cash desk 'D'*)

Useful bank terms

das Konto	account
das Girokonto	current account
das Sparkonto	savings account
die Bank	bank
ein Konto eröffnen	to open an account
ein Konto löschen	to close an account
der Auszug	statement
einen Scheck unterschreiben	to sign a cheque
wie steht mein Konto/wie ist mein Kontostand?	what's my balance?
mein Konto ist überzogen	my account is overdrawn

Geld überweisen (auf ein Konto)	to transfer money (to an account)
in bar bezahlen	to pay for s.th. in cash
einzahlen	to pay in, deposit
abheben	to take out, draw
Bargeld	cash
in bar/mit Bargeld zahlen	to pay in cash
das Kleingeld	small change
Reiseschecks einlösen	to cash travellers' cheques
Geld wechseln	to change money
ich möchte fünfzig Pfund in D-Mark wechseln	I'd like to change 50 pounds for German marks.
der 100-Mark-Schein	100 Mark note
der Wechselkurs	rate of exchange
die Wechselstube	bureau de change
die Kreditkarte	credit card

Reiseschecks sind ein beliebtes Zahlungsmittel für den Reisenden. Bei Banken und in Wechselstuben (und auch in vielen Hotels) kann man die Reiseschecks in Geld der jeweiligen Landeswährung umtauschen.

Viele Leute ziehen es vor, Euroschecks zu haben, wenn Sie auf Urlaub ins Ausland fahren. Mit diesen Schecks kann man Schecks in jeder westeuropäischen Währung ausstellen. Man braucht dafür ein Euroscheck-Buch und eine Euroscheck-Karte. Der Wert der Schecks, die man ausstellen kann, ist in jedem Land verschieden. Man kann in Hotels, Restaurants, Geschäften usw. mit Euroschecks bezahlen. Auch kann man damit Bargeld bekommen.

Wenn Sie nach Deutschland fahren, um dort zu arbeiten oder zu studieren, und wenn Sie mehr als ein paar Wochen dort bleiben, dann eröffnen Sie am besten ein Konto bei einer deutschen Bank. Es gibt in den meisten Städten viele Banken.

Um ein Konto zu eröffnen, brauchen Sie Ihren Ausweis oder Ihren Reisepaß. Sie müssen ein Formular ausfüllen und ein paar Fragen beantworten (wo Sie wohnen, wie lange Sie in Deutschland bleiben, usw.). Wenn das Konto eröffnet ist, können Sie Geld von Ihrem Konto in England auf das Konto in Deutschland überweisen. Wenn Sie in Deutschland arbeiten, kann Ihre Firma Ihr Gehalt direkt auf das Konto bei der Bank einzahlen.

4 *From the text you have just read, find German expressions for the following terms.*

(i) bureau de change
(ii) to change
(iii) to make out a cheque
(iv) cash
(v) to open an account
(vi) to fill in a form
(vii) to transfer
(viii) to pay in

5 Role-play situations.

In each of the following, your language tutor / student colleague will play the opposite role. The first one is quite straightforward, but the last two will need more careful preparation.

(i) You go into a bank to the foreign exchange counter, and wish to change £200 sterling into German Marks. Ask the clerk to give you some 10-Mark notes. Check what the exchange rate is.
(ii) You have just arrived in a German town to work for a year, and need to open a bank account. You go to the bank to see the manager and explain your situation and requirements (staying for one year, salary paid monthly - DM3000 per month - you need a current account. Ask about arrangements for a credit card).
(iii) You are leaving Germany to return to Britain after working for a year. You need to close your account. Give the bank clerk appropriate details of account name, number, and when to close the account.

 **5D** **6** *Listen to the tape and attempt the questions without reading the text.*

Johann arbeitet in Hamburg bei einer Maschinenbaufirma. Er ist Leiter der Übersetzungsabteilung. Er hat ein Girokonto bei einer Bank in der Stadtmitte. Jeden Monat überweist die Firma sein Gehalt auf das Girokonto. Johann hat auch ein Bausparkonto bei der Bausparkasse, und jeden Monat zahlt er 400 Mark auf sein Bausparkonto ein. Er spart gern, denn er möchte seine eigene Wohnung kaufen. Zur Zeit hat er eine Mietwohnung in der Stadt.

You are Johann. Answer in German the following questions.

(i) Wo arbeiten Sie?
(ii) Was sind Sie von Beruf?
(iii) Was für Bankkonten haben Sie?

(iv) Wieviel sparen Sie pro Monat?
(v) Warum sparen Sie?
(vi) Wo wohnen Sie zur Zeit?

Modernisieren mit Bausparvertrag

Viele Leute, die einen Bausparvertrag haben, wollen nicht 'bauen' - sie wollen nur modernisieren oder die Wohnung reparieren oder renovieren. Eine Menge Reparaturen sind mit einem Bausparvertrag möglich: eine neue Heizung, ein neues Dach, ein Anbau, oder auch eine neue Garage.

Das Bankwesen in Deutschland

In Deutschland ist die Deutsche Bundesbank in Frankfurt die Zentralnotenbank. Sie hat das Recht, Banknoten auszugeben. Sie hat auch die wichtige Aufgabe, den Wert der Deutschen Mark stabil zu halten. Sie setzt den Diskontsatz fest, und bestimmt deshalb die Höhe der anderen Zinsen für kurzfristige Kredite.

Es gibt mehr als 3 000 andere Banken, Sparkassen und Kreditinstitute in Deutschland. Die meisten sind sogenannte 'Universalbanken', d.h. Sie haben viele verschiedene Aufgaben. Sie nehmen Spargelder an, sie führen Girokonten, sie unterhalten Wertpapierdepots für ihre Kunden, und sie gewähren Kredite. Neben den Universalbanken gibt es eine Reihe von Spezialbanken, z.B. die Bausparkassen.

Zentralnotenbank	central issuing bank
Sparkassen	savings banks
Spargelder	savings
gewähren	to grant
Bausparkasse	equiv. of building society

Girokonto

Wie eröffnet man ein Girokonto? Ganz einfach: man geht zur Bank und füllt den Antragsvordruck aus. Die Bankmitarbeiter sind gern behilflich. Man muß auch den Personalausweis mitnehmen. Wenn man nicht volljährig ist, müssen die Eltern den Antrag unterschreiben. Dann braucht die Bank noch eine Unterschriftsprobe. Wenn das Konto eröffnet ist, kann der Arbeitgeber den Lohn oder das Gehalt auf das Konto überweisen.

Antragsvordruck	application form
volljährig	of age
Unterschriftsprobe	specimen signature

 **5E**

A: Guten Tag.
B: Guten Tag. Ich möchte bitte ein Konto eröffnen.
A: Gerne. Ein Girokonto oder ein Sparkonto?
B: Ein Sparkonto.
A: So - das hier ist das Antragsformular. Könnten Sie es bitte ausfüllen?
B: Ja. Brauchen Sie meinen Ausweis?
A: Bitte. Den bekommen Sie gleich zurück.
(5 Minuten später)
B: So, hier ist das Formular.
A: Danke. Wenn Sie in 3 Tagen zurückkommen, dann erhalten Sie Ihr Scheckbuch, eine Bankkarte, und die Kontonummer für Ihren Arbeitgeber.
B: Danke sehr.
A: Bitte. Wiedersehen.

Übung

7 *Role-plays. Your fellow student/tutor will play the part of the bank clerk.*

(i) *You are working in Germany for a year, and need to open a current account. Give the name of your company, and give appropriate details to the clerk, who is helping you to complete the form.*

The following details will be needed:

name; home address; local address; age; date of birth; length of stay in Germany; name of company.

Check when you can collect the cheque book and card.

(ii) *You wish to transfer a sum of money to your bank in England. You need to give the clerk*

- the details of your German account
- details of your English account
- the amount to be transferred.

Frankfurt - Finanzzentrum

Frankfurt am Main ist die Finanzhauptstadt der Bundesrepublik Deutschland. Dort ist die Bundesbank, die Zentralnotenbank Deutschlands. Frankfurt liegt in der Mitte des Landes, an der Kreuzung der wichtigsten Autobahnen und Eisenbahnlinien. Frankfurt hat den größten Flughafen Deutschlands, und den größten Bahnhof. Es hat auch die meisten Banken. Jedes Jahr hat der Flughafen mehr als 25 Millionen Passagiere, und es gibt über 300 000 Starts und Landungen. Die Frankfurter Börse ist weltberühmt - die Kurse für viele Währungen werden an der Börse festgesetzt.

 5F *Herr Ostendarp ist Bankangestellter bei der Volksbank Vreden. Hier beschreibt er seine Arbeit.*

Meine Tätigkeit bei der Volksbank Vreden ist die Anlageberatung. Das heißt, ich berate unsere Kunden über Anlagemöglichkeiten in Deutschland und auch in Europa. Der steuerliche Aspekt spielt auch eine große Rolle. Als Bank dürfen wir nicht als Steuerberater tätig sein, aber wir können den Kunden Tips geben. Sie können dann diese Hinweise und Tips mit ihren Steuerberatern besprechen.

Anlageberatung	investment advice
steuerlich	taxation
Steuerberater	tax advisor

Übung

8 *Listen to Herr Ostendarp's description of his working day.*

 5G
(i) Wann beginnt seine Arbeitszeit?
(ii) An welchem Tag arbeitet er später?
(iii) Was macht er in der Mittagspause?
(iv) Wo wohnt er?
(v) Wie fährt er nach Hause?

Herr Ostendarp was asked his views of a possible central bank for Europe.

Sollte Europa eine Zentralbank haben?

Ich glaube, daß das System, wie wir es in Deutschland haben, seit über 40 Jahren gut funktioniert. So ein System sollte man auch auf Europa übertragen. Wir haben noch Landeszentralbanken, und dieses System könnte man auf Europa übertragen. Jedes Land bekommt dann eine Landeszentralbank. Man muß dann eine europäische Zentralbank schaffen. Diese Bank könnte die Geldpolitik steuern. Die Bundesbank ist bisher sehr erfolgreich. Die Deutsche Mark ist eine relativ stabile Währung. Man wird über diese Frage sicherlich noch viel diskutieren, aber ich glaube, wir werden am Ende eine Zentralbank haben.

übertragen	to transfer
sollte man	one/we ought to...
schaffen	to create
steuern	guide
Währung	currency

Übung

9 *Listen to the description of Ursula Bauer's working day.*

5H *Complete the following information about Ursula Bauer:*

Ursula arbeitet in .... Sie arbeitet schon seit drei ... in einer Bank. Sie wohnt ... ... von der Stadt, und sie fährt mit Bus und .... jeden Tag zur Arbeit. Sie lernt gern neue ... kennen. In ihrer Bank hat sie 50 ...

TALKING BUSINESS

Zwei Vertreter von Dietrich AG verlassen die Firma in 6 Wochen. Sie werden bei anderen Firmen arbeiten. Dietrich will auch den Markt in Frankreich intensiver bearbeiten. Die Firma sucht deshalb vier neue Vertreter - zwei für den Hauptsitz in Bochum, und zwei andere mit besonders guten Sprachkenntnissen für die Niederlassung in Saarbrücken. Diese zwei müssen oft ins Ausland reisen. Markus Wolff bespricht die Lage mit Heinz Dietrich.

Hauptsitz	head office
Niederlassung	branch, subsidiary

5I

Heinz Dietrich: So, Herr Wolff, Sie sagen, die Anzeige erscheint morgen in der Zeitung?

Markus Wolff: Ja, Herr Dietrich. In der Lokalzeitung und auch in 'Die Welt'.

Heinz Dietrich: Hoffentlich werden wir gute Bewerber haben - die zwei Vertreter, die wir verlieren, sind sehr gut.

Markus Wolff: Ich bin sicher, daß wir gute Leute finden. Die Firma hat einen sehr guten Ruf.

Heinz Dietrich:	Wann werden wir die Vorstellungsgespräche halten?
Markus Wolff:	Das muß ich noch mit der Personalleiterin, Anke Richter, besprechen. Ich glaube, in etwa 4 Wochen.
Heinz Dietrich:	Muß ich auch dabei sein?
Markus Wolff:	Ich hoffe, daß Sie dabei sein können. Haben Sie Zeit dazu?
Heinz Dietrich:	Ich muß mal in meinem Terminkalender nachschlagen, aber ich glaube, ich bin da. Frau Klein sollte auch teilnehmen.
Markus Wolff:	Sicher, ich habe sie schon gefragt.

Anzeige	advert
'Die Welt'	quality German 'supraregional' newspaper, read widely in the North
Ruf	reputation
Vorstellungsgespräche	interviews
Personalleiterin	personnel manageress
teilnehmen	to take part

Dietrich AG

Markus Wolff
Verkaufsleiter

Lindenstraße 26
Bochum

Telefon: 0234 32 47 58
Telefax: 0234 56 48 67

Harald GmbH

Lindenstraße 52
Köln

Heinz Volker
Vertreter

Telefon: 0221 54 28 09
Telefax: 0221 54 03 07

Heinz Volker ist Vertreter bei der Firma Harald in Köln. Er besucht Dietrich heute: Die Firma Harald beliefert Dietrich mit Komponenten für die Herstellung von Waschmaschinen. Er kennt Markus Wolff seit vielen Jahren. Sie waren Studenten zusammen.

beliefert	supplies

5J

Sekretärin:	Guten Tag.
Heinz Volker:	Guten Tag. Ich habe einen Termin bei Herrn Wolff.
Sekretärin:	Moment bitte. Ich rufe ihn an... Herr Wolff, ein Herr Volker ist für Sie da.
Markus Wolff:	Ich komme gleich....
Markus Wolff:	Tag, Heinz. Wie geht's?
Heinz Volker:	Hallo Markus! Sehr gut, danke. Und dir?
Markus Wolff:	Nicht schlecht.
Heinz Volker:	Wie geht's Renate und den Kindern?
Markus Wolff:	Gut, danke. Renate arbeitet wieder seit 4 Monaten. Die Kinder sind jetzt beide in der Schule.

Heinz Volker:	Habt ihr denn ein Kindermädchen?
Markus Wolff:	Ja, eine ehemalige Schülerin von meiner Frau.
Heinz Volker:	Aha, ich muß gleich mit eurem Ingenieur sprechen. Aber zuerst eine Frage.
Markus Wolff:	Ja?
Heinz Volker:	Ich höre, ihr sucht drei oder vier Vertreter?
Markus Wolff:	Das stimmt. Und? Du kennst jemanden?
Heinz Volker:	Ja - ich möchte mich bewerben!
Markus Wolff:	Wieso?
Heinz Volker:	Das erkläre ich später. Hast du Zeit?
Markus Wolff:	Heute abend sicher. Kannst du zum Abendessen kommen? Sagen wir, um 6.30 Uhr?

Übung

5K 10 *Heinz Volker geht um 6.30 Uhr zur Wohnung von Markus*

Listen to the conversation on tape and answer the questions below.

(i) What reasons does Heinz give for wishing to change jobs?
(ii) Is his present job in danger?

Language structures

1. The genitive

The genitive case is used to indicate possession, and is also used after certain prepositions, e.g. während, trotz, wegen, innerhalb.

The genitive singular takes the same form in the case of masculine and neuter nouns:

	NOMINATIVE	GENITIVE
MASC	der Mann	des Mannes (of the man)
NEUTER	das Haus	des Hauses (of the house)

das Auto des Mannes – the man's car – the car of the man

die Spezialität des Hauses – the speciality of the house

The feminine form is rather different:

	NOMINATIVE	GENITIVE
FEM	die Frau	der Frau (of the woman)

der Schirm der Frau – the woman's umbrella

The plural form is the same in all genders:

der Männer	of the men
der Frauen	of the women
der Kinder	of the children

The full form of the definite article is therefore as follows:

	Masculine	Feminine	Neuter
Nom.	der Mann	die Frau	das Haus
Acc.	den Mann	die Frau	das Haus
Gen.	des Mannes	der Frau	des Hauses
Dat.	dem Mann	der Frau	dem Haus

Plural

Nom.	die Stühle
Acc.	die Stühle
Gen.	der Stühle
Dat.	den Stühlen

NB: all nouns add *n* to the dative plural, if possible.

2. The future tense

The future tense in German is very easy to follow.

It is formed by using the appropriate form of *werden*, plus the infinitive of the other verb.

ich gehe (I go)

ich werde gehen (I shall go)

wir arbeiten (we work)

wir werden arbeiten (we shall work)

werden is an irregular verb. Its full form is:

ich werde
du wirst
er/sie/es wird
wir werden
ihr werdet
sie werden
Sie werden

As is frequently the case in English, German avoids use of the future tense if the future 'sense' is already implied:

He's coming tomorrow (he will come tomorrow) – Er kommt morgen (er wird morgen kommen)

morgen already indicates the future sense.

3. Relative clauses

English uses *who*, *which*, or *that*:

The man who works here.

The dog that I saw yesterday.

The car which he bought.

German uses an appropriate form of the definite article.

Der Mann, der hier arbeitet.

Die Dame, die hier wohnt.

Das Haus, das er kauft.

The case of the relative pronoun (*der, die, das,* etc.) is dictated by its function in the sentence.

Look at these further examples:

Der Mann, mit **dem* ich arbeite – The man with whom I work.

*('mit' takes the dative case.)

Der Vertreter, *der* mich besucht – The rep who visits me.

Der Vertreter, *den* ich besuche – The rep whom I visit.

Die Leute, *die* hier arbeiten – The people who work here.

4. Reflexive verbs

There are many verbs in German which are used reflexively, e.g.

sich waschen	to have a wash
sich vorstellen	to introduce oneself
sich beeilen	to hurry
sich bewerben	to apply (for a post)

The reflexive pronouns are

(ich)	mich
(du)	dich

(er) (sie) (es)	sich
(wir)	uns
(ihr)	euch
(sie)	sich
(Sich)	sich

examples:

ich bewerbe mich um diese Stelle (I apply for this job)
er beeilt sich (he hurries)

Übungen

11 Genitive case

Put the noun and the definite article in brackets into the genitive form.

e.g. Der Brief (der Chef) ist hier. Der Brief des Chefs ist hier.

(i) Wir treffen Sie am Ende (die Straße).
(ii) Wie ist der Name (die Firma)?
(iii) Was ist der Preis (die Maschine)?
(iv) Während (der Sommer) arbeiten wir nicht.
(v) Die Zeit (die Lieferung) wissen wir nicht.
(vi) Wegen (die Arbeit) ist sie sehr müde.
(vii) Das ist das Auto (die Vertreterin).
(viii) Das Büro (die Leiterin) ist im zweiten Stock.

12 Relative clauses

Link the pairs of sentences, as in the example:

e.g. Der Mann wohnt hier. Er ist Zugführer.
Der Mann, der hier wohnt, ist Zugführer.

(i) Die Frau arbeitet bei Dietrich. Sie ist Leiterin.
(ii) Das Büro ist im zweiten Stock. Es ist leer.
(iii) Die Firma ist in der Stadmitte. Sie hat 300 Arbeiter.
(iv) Der Mann steht da. Er ist Abteilungsleiter.
(v) Der Ingenieur heißt Hans. Er arbeitet bei uns.
(vi) Die Damen sitzen drüben. Sie haben jetzt Mittagspause.
(vii) Ich kenne den Mann. Er steht dort.
(viii) Das Unternehmen ist in der Schillerstraße. Es heißt Humboldt GmbH.

13 The Future Tense

Put the following sentences into the future.

(i) Ich esse in dem Restaurant.
(ii) Sie bestellt die Artikel von dem Vertreter.
(iii) Wann kommt er?
(iv) Wo übernachtet sie in Köln?
(v) Die Vertreter verlassen die Firma.
(vi) Er verdient viel Geld.
(vii) Sie rufen Herrn Wolff an.
(viii) Ich spreche mit Frau Schutzmann.

14 The 'du' form of the verb

Insert the appropriate form of the verb.

(i) Ich gehe morgen in die Stadt. Wann ... du?
(ii) Wir kommen um 8 Uhr. Wann ... du?
(iii) ... du hier jetzt? Ja, ich arbeite jetzt hier.
(iv) Ich übernachte im Hotel Reiß. Wo ... du?
(v) Wir wohnen in Hamburg. Wo ... du?
(vi) Ich kenne diesen Mann nicht. ... du ihn?
(vii) Ich esse gern Fisch. Was ... du?
(viii) Ich fahre gleich ab. Wann ... du?

Assignments

Task A *Ulrike Thalhammer used to work for Dietrich in Bochum, but now works for the Hamburg branch. Write a short letter on behalf of Markus Wolff to Frau Thalhammer (Dietrich AG, Rilkestraße 48, 2000 Hamburg), including the following information:*

- you are looking for 3 representatives
- advert in paper tomorrow
- interviews in four weeks - on 15 May
- can she come for the interviews? You would like her help.
- can she let you know as soon as possible?

Task B *Compose and record a telephone message from Ulrike Thalhammer to Markus Wolff, including the following information.*

- you can come to the interviews
- you are in London on 14 May, but will fly directly to Düsseldorf, then get train to Bochum

- you will arrive about 8 pm on 14 May
- Markus Wolff should ring back to confirm if that's OK.
- you need hotel room for one night

Vokabular

abheben to draw money (bank)
Abteilungsleiter (der) department manager
Anbau (der) extension (to house)
Anlageberatung (die) investment advice
Antrag (der) application
Antragsformular (das) application form
Antragsvordruck (der) application form
Anzeige (die) advertisement
Arbeitgeber (der) employer
Aufgabe (die) task, job
ausfüllen to fill in
ausstellen to make out (a cheque)
Ausweis (der) identity card
Auszug (der) statement (bank account)

Bankkonto (das) bank account
Bankwesen (das) banking
bar in cash
Bargeld (das) cash
Bausparkasse (die) building society
Bausparvertrag (der) savings contract with building society
bearbeiten to process
beeilen to hurry
beliefern to supply
beraten to advise
bewerben (sich) to apply
Bewerber (der) applicant
Börse (die) stock exchange
Bundesbank (die) federal bank

Diskontsatz (der) (bank) discount rate

ehemalig former
einlösen to cash (a cheque)
einzahlen to pay in
erfolgreich successful
erhalten to receive
erklären to explain
eröffnen to open

festgesetzt fixed, established

Gehalt (das) salary
Geldpolitik (die) monetary policy
gewähren to grant
Girokonto (das) current account
günstig favourable

Hauptsitz (der) head office
Herstellung (die) manufacture

insgesamt on the whole, in total

Kleingeld (das) small change
Konto (das) account
Kontonummer (die) account number
Kontostand (der) state of account, balance
Kreuzung (die) crossroads
kurzfristig short term

Lage (die) situation
Land (das) country
Landeswährung (die) national currency
Landeszentralbank (die) national central bank
Lieferung (die) delivery
löschen to erase, cancel, close (account)

Maschinenbau (der) engineering
Mietwohnung (die) rented flat
müde tired
müssen to have to, to be obliged to
nachschlagen to look up
Niederlassung (die) branch, subsidiary

Paßnummer (die) passport number
Personalausweis (der) identity card
Personalleiterin (die) personnel manageress
Pfund (das) pound

Rechnung (die) bill
Recht (das) right
Reisepaß (der) passport
Reisescheck (der) travellers' cheque
Rückseite (die) reverse side

schaffen to create, do, 'make' it
Scheck (der) cheque
sogenannt so-called
sparen to save
Spargelder (pl.) savings
Sparkasse (die) savings bank
Sparkonto (das) savings account
Sprachkenntnisse (pl.) knowledge of languages
Steuerberater (der) tax advisor
steuerlich fiscal

tätig active
Tätigkeit (die) activity, job
teilnehmen (an) to take part (in)
Terminkalender (der) appointments diary

umtauschen to exchange
unterschreiben to sign
Unterschriftsprobe (die) specimen signature

Übersetzungsabteilung (die) translation department
übertragen to transfer
überweisen to transfer
überzogen overdrawn (bank)

verlieren to lose
verdienen to earn
verschieden various, varied
Vorstellungsgespräch (das) interview

Währung (die) currency
Wechselkurs (der) rate of exchange
wechseln to exchange
Wechselstube (die) bureau de change
weltberühmt world-famous
Wertpapier (das) security, stock

Zahlungsmittel (das) means of payment
Zentralnotenbank (die) central issuing bank
Zinsen (pl.) interest

Unit 6

EMPLOYMENT AND TRAINING

You will learn to:

- Describe your job and your training
- Understand descriptions of other people's jobs
- Participate in a simple job interview

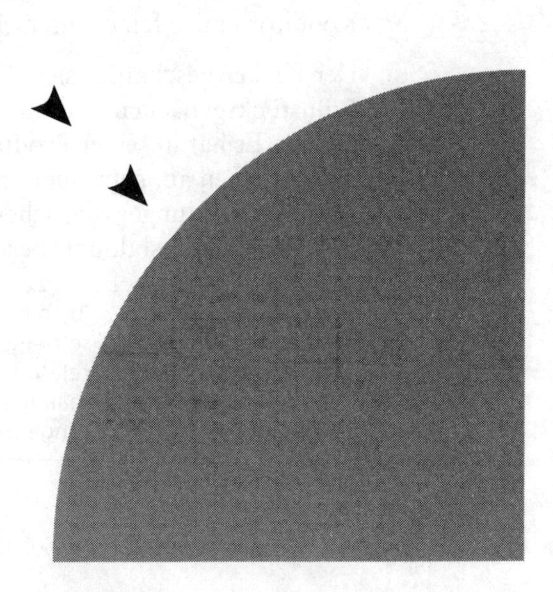

Dialoge

6A *Eine Schülerin beschreibt ihre Schule und ihre Berufswünsche.*

Unsere Schule ist nicht gerade sehr groß und so sind wir bei der Fächerwahl in der Oberstufe etwas eingeschränkt. Wir müssen eine Naturwissenschaft und eine Gesellschaftswissenschaft wählen. Am liebsten mache ich Naturwissenschaften, also Mathe und Biologie. Ich nehme diese beiden Fächer auch als Leistungskurs.

Ich möchte Medizin studieren, Neurochirurgie. Ich weiß aber noch nicht genau, wo ich studieren werde, denn es kommt darauf an, wo ich einen Studienplatz bekomme. Das Studium dauert 10 Semester für die Allgemeinmedizin und danach kann ich mich spezialisieren. Es gibt viele Studenten, die Medizin belegen möchten, aber wenn man gut ist, hat man auch noch gute Berufsaussichten.

Oberstufe	upper school
Naturwissenschaften	sciences
Leistungskurs	main subject
belegen	to take, study
Berufsaussichten	career prospects

6B *Ein Konditormeister beschreibt seine Arbeit.*

Mein Name ist Walter Imping. Ich bin 37 Jahre alt und wohne in Vreden. Es ist eine Kleinstadt mit 20 tausend Einwohnern. Ich komme aus dem Ruhrgebiet. Von Beruf bin ich selbständiger Konditormeister. Ich führe einen kleinen Handwerksbetrieb mit meiner Frau und einigen Mitarbeitern. Der Konditorberuf und der Bäckerberuf sind verwandschaftliche Berufe. Beide haben mit Lebensmitteln zu tun, aber es gibt zwischen dem Bäcker und dem Konditor einige feine Unterschiede.

Der Bäcker beschäftigt sich überwiegend mit Brot, mit Brötchen, mit Frühstücksgebäcken und mit dem Snackbereich. Beim Konditor ist es etwas anders. Er hat in seiner Produktpalette mehr die feineren Sachen. Es fängt beim Kuchen an, geht über Sahneteige und Buttercremedesserts bis hin zum Konfekt. Für junge Menschen, die gern kreativ arbeiten, ist es ein sehr interessanter Ausbildungsberuf.

gebürtig	'by birth', I was born in...
selbständig	self-employed, independent
verwandtschaftlich	related
überwiegend	mainly
Produktpalette	range of products

Übungen

1 *Complete the sentences.*

(i) Herr Imping kommt aus...
(ii) Er arbeitet mit ...
(iii) Der Konditorberuf ist sehr interessant ...
(iv) Der Konditor beschäftigt sich mehr mit ...

2 *Give a summary in English of the main features of Herr Imping's job.*

3 *Listen to this recording, in which Herr Imping describes his training to an interviewer.*

 **6C** *After listening to Herr Imping's interview, answer the following questions.*

(i) How long does the training last?
(ii) What does the written examination consist of?
(iii) Give details of the practical examination.
(iv) What is normally done after this examination?

 **6D** *Herr Imping describes his own training and career.*

Nach meiner Ausbildungszeit habe ich in sechs verschiedenen Konditoreibetrieben gearbeitet. Überall gibt es andere Spezialitäten. In meiner Gesellenzeit habe ich mich besonders für die Pralinen interessiert. Ich habe meine Meisterprüfung in Köln abgelegt. Die Meisterprüfung berechtigt einen dazu, einen selbständigen Betrieb zu führen, und Jugendliche auszubilden. Nach der Meisterprüfung habe ich bei meinem Vater in seinem Betrieb gearbeitet.

Wie sieht er die Zukunft?

Meine Zukunft sehe ich darin, Pralinen nicht nur national sondern auch international herzustellen. Wir wollen uns immer mehr auf die Pralinenherstellung konzentrieren, und die Konkurrenz in diesem Bereich ist für mich sehr wichtig. Wir sehen, besonders mit der Öffnung des Binnenmarktes, immer mehr Möglichkeiten.

Meisterprüfung	master's examination
abgelegt	taken (eine Prüfung ablegen)

Übungen

4 *You are Herr Imping. Answer the following questions.*

(i) Wo arbeiten Sie jetzt?
(ii) Wo haben Sie Ihre Meisterprüfung gemacht?
(iii) Wofür interessieren Sie sich am meisten?
(iv) Warum gibt es jetzt mehr Möglichkeiten für Sie?

5 *Listen to the recordings of four people describing their jobs, and give the information requested in each case.*

 **6E** *Monika*

(i) What is Monika's job?
(ii) Whom does she work for?
(iii) Where is the company?
(iv) What sort of company is it?
(v) How long has she worked there?
(vi) What does she say about her work?

 **6F** *Walter*

(i) What is Walter's job, and what are his working hours?
(ii) Which day does he have free?
(iii) How long has he been in this job?
(iv) Where did he work beforehand, and what sort of job did he do?

 **6G** *Birgit*

(i) What is Birgit's current job?
(ii) Where does she live?
(iii) How does she get to work?
(iv) How long has she been in her job?
(v) What are her plans for October?
(vi) What are her ultimate career plans?

 **6H** *Matthias*

(i) What does Matthias do for a living?
(ii) What sort of firm does he work for, and where is it based?
(iii) Where did he study?
(iv) What was his first job after university?
(v) What does he find particularly enjoyable about his job?

6 *The following are two descriptions of jobs. Write a short description of each one, in German, OR give an oral description to your partner/tutor, who will prompt you with appropriate questions.*

(i) **Representative**
Hours: sometimes 6 a.m. to 8 p.m. !
Like: travel abroad, meeting people
Dislike: hotel rooms!
Studies: Business studies at Gießen University
Future plans: stay 3 or 4 years here

(ii) **Secretary**
Hours: 8–4
Like: colleagues in department
Dislike: work sometimes boring
Studies: at Berufsschule
Future plans: work with bigger company

Die Ausbildung bei der Bank

 **6I** *Herr Ostendarp, whom we have met previously, describes the training situation in his bank.*

Wir sind eine relativ kleine Bank - 40 Mitarbeiter, inklusiv Auszubildende. Wir stellen jedes Jahr zwei oder drei Auszubildende ein. Zur Zeit beschäftigen wir sechs. Die Auszubildenden sollten die Mittlere Reife haben. Wir machen nicht den Unterschied zwischen Mittlerer Reife und Abitur.

Bisher haben wir mit den Bewerbern einen Einstellungstest gemacht und die besten ausgewählt. Die Ausbildungszeit zum Bankkaufmann beträgt normalerweise drei Jahre. Die Ausbildung besteht aus einem theoretischen und einem praktischen Teil. Die praktische Ausbildung erfolgt hier in der Bank. Die Mitarbeiter arbeiten in jeder Abteilung der Bank.

Auszubildende	trainees
Mittlere Reife	(approximate) equivalent of GCSE
Abitur	equivalent of A level

6J *Herr Denno is a librarian. Listen to his description of his job.*

Interviewer: Herr Denno, in was für einer Bücherei arbeiten Sie?
Herr Denno: In einer katholischen und öffentlichen Bücherei.
Interviewer: Wie groß ist die Bibliothek?
Herr Denno: Wir haben etwa 25 000 Medieneinheiten - also Bücher, Spiele, Cassetten, Diaserien und CDs.
Interviewer: Was für Bücher haben Sie?
Herr Denno: Ach, Bücher aus verschiedenen Sachbereichen, aber auch Bücher zur Unterhaltung, Kinderbücher und Jugendbücher.
Interviewer: Wieviele Bücher verleihen Sie im Monat?
Herr Denno: Zur Zeit etwa 6 000.

7 (i) In was für einer Bücherei arbeitet Herr Denno?
(ii) Hat die Bücherei nur Bücher?
(iii) Wie viele Bücher verleiht sie im Monat?
(iv) Was für Bücher gibt es in der Bücherei?

8 *Read the following adverts and answer the questions.*

STELLENANGEBOTE

Fachkräfte gesucht für Bäckerladen mit Snackbereich.

Arbeitszeit 8 - 19.30 Uhr (nach Absprache)

Konditorei Klempner

Tel: 0263 27 48 67

****

Nette junge Frau für Eisverkauf gesucht.

Eiscafe Italia

Florentinstraße 15

Tel: 0276 73 48 69

****

Wir suchen per sofort:

Rechtsanwaltsgehilfinnen

mit EDV- und Schreibmaschinenkenntnissen.

Bewerbungen mit den üblichen Unterlagen an:
Dr Leopold Barowski
Antonstraße 45
6630 Saarlouis

Tel: 06831 37 59

****

mit den üblichen Unterlagen = with the usual documents (usually letter, c.v., certificates of previous employment)

STELLENANGEBOT

Ab sofort:

Fremdsprachenkorrespondent/in
(Engl., Franz.)

für unsere Verkaufsabteilung.

Gehalt nach Vereinbarung.

Bewerbung mit tabellarischem Lebenslauf, Lichtbild und Zeugniskopien.

Heller und Groß GmbH

Asbachstraße 15 Tel: 0375 63 48 27

****

(i) Which post gives you the possibility of negotiating your working hours?
(ii) Which jobs insist on female applicants?
(iii) What experience is required in the advert placed by Leopold Barowski?
(iv) Which post would require knowledge of foreign languages?
(v) In which post is salary by negotiation?
(vi) Which section of the company would you work in if you got a post at Heller & Groß?

9 *Read the letter of application which follows.*

(i) Give details of the education of the applicant on page 113.
(ii) Why is she looking for a change of job?
(iii) Give details of her current job.
(iv) What particular skills does she offer?

10 *Write a simple application letter along the lines of this one, but varying the details of your job experience and education.*

Möwenstraße 45
6680 Neunkirchen

8.5.19..

Kleeberg und Witte
Floridsdorfstraße 24
66 Saarbrücken

Sehr geehrte Damen und Herren

Ich habe Ihre Anzeige in der "Saarbrücker Zeitung" gelesen und möchte mich um die Stelle als Fremdsprachenkorrespondentin bewerben.

Wie Sie aus meinem Lebenslauf ersehen, habe ich das Gymnasium in Völklingen besucht, und dann habe ich an der Handelsschule in Saarbrücken studiert. Anschließend habe ich bei einer Maschinenbaufirma in Dover, England, gearbeitet.

Ich arbeite zur Zeit bei einem mittelgroßen Unternehmen in Neunkirchen. Ich spreche und schreibe Französisch und Englisch fließend, und ich bin für die Handelskorrespondenz in beiden Sprachen zuständig. Ich suche jetzt eine Stelle mit besseren Berufsaussichten bei einer größeren Firma.

Falls Sie mich zum Vorstellungsgespräch einladen möchten, kann ich mich jederzeit vorstellen. Ich hoffe, daß Sie meine Bewerbung wohlwollend berücksichtigen.

Mit freundlichen Grüßen

Maren Kalbach

ersehen aus	see from
wohlwollend berücksichtigen	consider favourably

STELLENGESUCHE

Marketing

Dipl.-Betriebswirt, 32. Studienschwerpunkte Marketing / Fremdsprachen.

Sehr gute Englisch- und Spanischkenntnisse. EDV- Erfahrung.

Zuschriften unter BL 462 375 Postfach 10 19 36 7000 Stuttgart 1

****

Geschäftsführer

Mitte 40. Langjährige Erfahrung im Vertrieb (In- und Ausland) von Elektrogeräten an Industrie.

In ungekündigter Stellung. Sucht neue Führungsaufgabe.

Angebote unter BL 273 576 Postfach 10 19 36
7000 Stuttgart 1

****

Erfahrene Sekretärin.

Mitte 30. Versiert in allen Sekretariatsarbeiten. PC- Kenntnisse. Gute Englischkenntnisse. Einwandfreie Umgangsformen. Sucht neue Aufgaben auf Vorstandsebene in Stuttgart oder näherer Umgebung.

Zuschriften unter DL 38 58 67 Postfach 10 19 36
7000 Stuttgart 1

****

Diplom-Ingenieur.

Fachrichtung Kunststoffverarbeitung.

Langjährige Erfahrung im Maschinenbau.

Wunsch: Abteilungsleiter Maschinenbau im Bereich Produktion oder Technik.

Zuschriften unter DL 38 48 57
Postfach 10 19 36
7000 Stuttgart 1

****

11 *After reading the 'jobs wanted' ads on the facing page, complete this checklist for the experience/career wishes of the people advertising.*

Advert number	Sales experience	Language competence	Computer literate	Experience of foreign markets	Looking for more senior position

12 *Listen to the dialogues on the tape and give the reasons why the individuals concerned are applying for new posts.*

6K Heike ______________________________

Peter ______________________________

Doris ______________________________

Michael ______________________________

13 *You are asked the question 'Warum suchen Sie eine neue Stelle?". Give suitable German responses based on the following English prompts.*

(i) you need a better salary
(ii) you want a job with less travel
(iii) you don't want to drive to work every day
(iv) you find your job boring
(v) you have been with the same company for 20 years
(vi) you want better prospects.

14 *Read or listen to Florian and Karin describing their work.*

6L **Florian Köhler**

Ich bin jetzt 36 Jahre alt, und ich bin Ingenieur bei der Firma Richter GmbH. Ich arbeite in der Produktion. Früher war ich 4 Jahre bei einer Firma in den USA. Ich habe 6 Jahre an der Universität München studiert (mit einem Praktikum bei einer Firma in England), und anschließend habe ich bei einer kleinen Firma in Ulm gearbeitet. Meine gegenwärtige Stelle gefällt mir viel besser. Die Arbeit ist interessanter, und ich habe mehr Verantwortung.

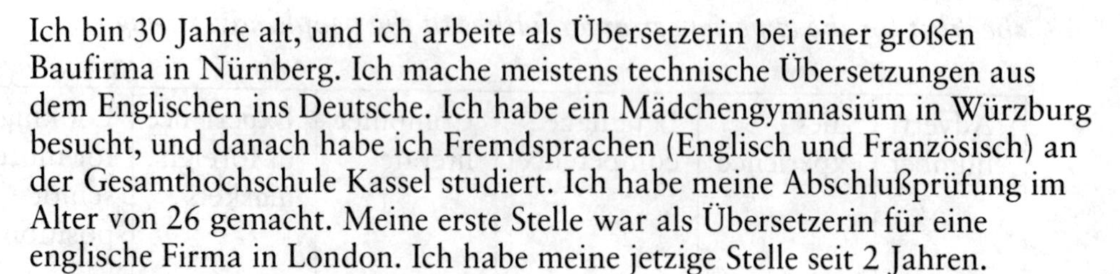

6M Karin Schüler

Ich bin 30 Jahre alt, und ich arbeite als Übersetzerin bei einer großen Baufirma in Nürnberg. Ich mache meistens technische Übersetzungen aus dem Englischen ins Deutsche. Ich habe ein Mädchengymnasium in Würzburg besucht, und danach habe ich Fremdsprachen (Englisch und Französisch) an der Gesamthochschule Kassel studiert. Ich habe meine Abschlußprüfung im Alter von 26 gemacht. Meine erste Stelle war als Übersetzerin für eine englische Firma in London. Ich habe meine jetzige Stelle seit 2 Jahren.

(i) Wo arbeitet Florian?
(ii) Wo hat er früher gearbeitet?
(iii) Was gefällt ihm an seiner Arbeit?
(iv) Bei was für einer Firma arbeitet Karin?
(v) Was für Übersetzungen macht sie?
(vi) Was war ihre erste Stelle?
(vii) Wie lange arbeitet sie schon bei ihrer gegenwärtigen Firma?

15 *Write in German three short descriptions (along the lines of the ones above) based on the following outlines.*

	Helga	Dieter	Klaus
Age	32	44	36
Currently	Dept manager textile co.	Bank manager	Sales manager
First job	This one	Small bank in Hamburg	Rep.
Studied?	Business studies Freiburg	Economics Essen	Engineering Köln
In this job for	3 years	9 years	4 years

16 *On the basis of your notes, give a short presentation in German about your current job, its advantages and disadvantages.*

TALKING BUSINESS

Der Tag der Vorstellungsgespräche für die Stellen als Vertreter bei Dietrich ist da. Herr Dietrich hat beschlossen, drei Leute anzustellen, und sechs Bewerber sind zum Vorstellungsgespräch gekommen. Drei von ihnen warten jetzt vor dem Büro von Herrn Dietrich. Alle sind nervös.

Die drei Kandidaten sind:

	HeinzVolker	Claudia Kalowski	Marion Westhus
Alter	35	32	38
geboren in	Bochum	Zwickau	London
Studium (Schule)	Gymnasium Bochum	Polytechnische Oberschule Zwickau	German School, London
Studium (Uni)	Wuppertal Volkswirtschaft	Humboldt, Berlin Engl./Franz.	London/ München BWL + Franz.
Gegenwärtige Stelle	Vertreter, Harald GmbH Köln	Übersetzerin Klowald AG Berlin	Vertreterin Atlas GmbH Hamburg
Sprach-kenntnisse	Englisch - fließend	Englisch, Französisch, fließend	Englisch/ Deutsch 2sprachig Franz. fließend

Übungen

17 *Write a short description in German of each of the candidates.*

e.g. Heinz Volker ist 35 Jahre alt...Er ist... Er hat... etc.

6N Die drei Kandidaten unterhalten sich, während sie warten

Heinz Volker: Wir haben uns heute im Hotelrestaurant gesehen, nicht wahr?
Claudia Kalowski: Ach ja - im Hotel Adler! Mein Name ist Claudia Kalowski.
Heinz Volker: Freut mich, Sie kennenzulernen. Ich bin Heinz Volker.
Claudia Kalowski: Freut mich auch.
(zu Marion Westhus): Und Sie? Waren Sie auch im Hotel Adler?
Marion Westhus: Nein, ich habe bei Bekannten übernachtet.
Claudia Kalowski: Und Sie sind...?
Marion Westhus: Marion Westhus.
Claudia Kalowski: Wo kommen Sie her?
Marion Westhus: Ursprünglich komme ich aus London, aber ich arbeite jetzt bei einer Firma in Hamburg.

ursprünglich	originally

Übung

18 (i) Wo hat Heinz Volker Claudia Kalowski gesehen?
(ii) Hat Frau Westhus im Hotel übernachtet?
(iii) Wo ist Frau Westhus geboren?
(iv) Wo arbeitet sie jetzt?

6O Wir hören jetzt einen Teil von jedem Vorstellungsgespräch.

Die Teilnehmer von der Firma Dietrich sind: Markus Wolff, Herr Dietrich, Ulrike Thalhammer

Ulrike Thalhammer: Also, Herr Volker, warum wollen Sie Ihre gegenwärtige Stelle verlassen?
Heinz Volker: Mit der wirtschaftlichen Lage hat die Firma gewisse Probleme - ich weiß überhaupt nicht, ob meine Stelle sicher ist.
Ulrike Thalhammer: Ihre Firma hat aber einen sehr guten Ruf.
Heinz Volker: Das stimmt, aber wir haben jetzt viel Konkurrenz aus dem Osten, besonders aus Asien.
Ulrike Thalhammer: Hat die Firma andere Märkte gesucht?
Heinz Volker: Wir versuchen, neue Märkte in Osteuropa zu finden, aber das ist nicht so leicht. Die Firmen dort haben auch ihre Probleme.

Ulrike Thalhammer: Wie Sie wissen, suchen wir Vertreter für den Hauptsitz hier, und auch für die Niederlassung in Saarbrücken.

Heinz Volker: Ja - ich würde die Stelle hier in Bochum vorziehen. Mit meinen guten Englischkenntnissen könnte ich auch beim Vertrieb Ihrer Produkte in England mitarbeiten.

Markus Wolff: Ich ersehe aus dem Lebenslauf, daß Sie schon in England gearbeitet haben?

Heinz Volker: Ja, ich war zwei Jahre bei einer Firma in Dover.

Markus Wolff: Und Sie wären bereit, öfter nach England zu fahren?

Heinz Volker: Selbstverständlich. Das wäre für mich höchst interessant.

Harald GmbH
Lenggriesstraße 52
Köln
Telefon 0221 54 28 09
Telefax 0221 54 03 07

Heinz Volker
Vertreter

gewisse Probleme	certain problems
entwickeln	to develop
beim Vertrieb...mitarbeiten	play a role in the sale of your products
selbstverständlich	of course

Übung

19 (i) Warum will Heinz Volker seine Stelle wechseln?
(ii) Was ist für viele deutsche Firmen ein Problem?
(iii) Wo sucht die Firma andere Märkte?
(iv) Welche Stelle zieht Heinz Volker vor?
(v) Hat er schon im Ausland gearbeitet?

6P

Ulrike Thalhammer: Frau Westhus, ich ersehe aus Ihrem Lebenslauf, daß Sie in London geboren sind?

Marion Westhus: Ja, das stimmt. Mein Vater ist aber Deutscher. Er arbeitet bei der deutschen Botschaft in London.

Ulrike Thalhammer: Und Ihre Mutter ist Engländerin?

Marion Westhus: Ja. Als ich jung war, habe ich Englisch mit meiner Mutter gesprochen, und Deutsch mit meinem Vater.

Herr Dietrich: Sie sind also zweisprachig?

Marion Westhus: Ja.
Herr Dietrich: Sie haben in London studiert?
Marion Westhus: Ja, ich habe Volkswirtschaft und Französisch in London studiert, und dann BWL in München.

Atlas GmbH

Marion Westhus
Vertreterin

Blumenallee 33
Hamburg

Telefon: 040 32 28 65
Telefax: 040 23 04 65

Herr Dietrich: Bei was für einer Firma arbeiten Sie jetzt?
Marion Westhus: Bei einer Elektrofirma - die Atlas GmbH stellt Autozubehör her.
Herr Dietrich: Haben Sie Erfahrung in unserem Bereich?
Marion Westhus: Ja - kurz nach meiner Abschlußprüfung habe ich bei einer ähnlichen Firma gearbeitet - Behrens GmbH in Kassel.
Herr Dietrich: Ach ja, die Firma kenne ich.
Ulrike Thalhammer: Frau Westhus, Sie haben, nehme ich an, gute Französischkenntnisse?
Marion Westhus: Ich habe Französisch an der Uni studiert, und ich war als Studentin einige Zeit in Frankreich.
Ulrike Thalhammer: Sie wissen, daß wir Vertreter entweder für unseren Hauptsitz hier in Bochum, oder für die Niederlassung in Saarbrücken suchen?
Marion Westhus: Ich wäre besonders an der Stelle in Saarbrücken interessiert. Ich möchte gerne meine Französischkenntnisse auffrischen. Übrigens war ich Studentin in Metz. Ich kenne die Gegend sehr gut.
Herr Dietrich: Warum wollen Sie Ihre Stelle wechseln?
Marion Westhus: Ich arbeite seit sechs Jahren bei der Atlas GmbH, und ich bin eigentlich mit meiner Arbeit zufrieden. Ich suche aber Abwechslung - ich möchte bei einer größeren Firma arbeiten, um meine Berufsaussichten zu verbessern.

Botschaft	embassy
zweisprachig	bilingual
BWL (Betriebswirtschaftslehre)	Business Studies
Autozubehör	car accessories/equipment
meine Französischkenntnisse auffrischen	brush up my French

Übung

20 (i) Warum ist Frau Westhus zweisprachig?
(ii) Wo hat sie studiert?
(iii) Welche Fächer hat sie studiert?
(iv) Wo arbeitet sie jetzt?
(v) Wo hat sie früher gearbeitet?
(vi) Welche Stelle zieht sie vor, und warum?

Language structures

1. The perfect tense - strong verbs

The perfect tense is formed by
using *haben* (or occasionally *sein*) as the auxiliary verb, together with the past participle.

he has written

The past participle of strong verbs in German is formed by adding *ge-* to the verb stem, and *en* to the end.

There is usually also a change of vowel:

ich schreibe	ich habe geschrieben
ich werfe	ich habe geworfen
ich trinke	ich habe getrunken

Verbs which indicate a change of position or change of state (typically, verbs of motion) use *sein* as the auxiliary verb:

ich fahre	ich bin gefahren
ich laufe	ich bin gelaufen
er kommt	er ist gekommen

There are several other verbs which use *sein* as the auxiliary. Some of the more common ones are:

sein (to be)	ich bin gewesen
bleiben (to stay)	ich bin geblieben
geschehen (to happen)	was ist geschehen?

Note also:

er ist gestorben	he has died
er ist im Mai geboren	he was born in May

2. Adjective endings

You will have noted in several of the dialogues and texts in the book that the adjectives take certain endings when they precede the noun:

der Mann ist reich

But

der reiche Mann

The ending of the adjective changes according to the gender and number of the noun:

er hat einen alten Wagen
wir sitzen in dem großen Zimmer

The pattern after the definite article (der,die,das) is:

	Masculine	Feminine	Neuter
Nominative	der alte Wagen	die alte Lampe	das alte Haus
Accusative	den alten Wagen	die alte Lampe	das alte Haus
Genitive	des alten Wagens	der alten Lampe	des alten Hauses
Dative	dem alten Wagen	der alten Lampe	dem alten Haus
Plural			
Nominative	die alten Häuser		
Accusative	die alten Häuser		
Genitive	der alten Häuser		
Dative	den alten Häusern		

You will note that the adjective in all plural cases is **-en**.

The pattern after the indefinite article is:

	Masculine	Feminine	Neuter
Nominative	-er	-e	-es
Accusative	-en	-e	-es
Genitive	-en	-en	-en
Dative	-en	-en	-en
Plural (after keine, meine etc.)			
Nominative	-en		
Accusative	-en		
Genitive	-en		
Dative	-en		

3. Interrogative pronouns: *Wer, wen, wem*

The interrogative pronouns are used in asking questions:

Wer wohnt hier? (Who lives here?)

As with other pronouns, they have four cases, but there is no separate plural form.

	Masculine	Feminine	Neuter
Nominative	wer	wer	was
Accusative	wen	wen	was
Genitive	wessen	wessen	wessen
Dative	wem	wem	wem

Examples of use:

Wer ist dieser Mann? Who is this man?

Wer arbeitet hier? Who works here?

Wen treffen wir in der Stadt? Whom are we meeting in town?

Wessen Auto ist das? Whose car is that?

Mit wem gehen wir aus? With whom are we going out?

Note: The neuter dative version is hardly ever used.

'With what are you writing?' would be rendered as:
'Womit schreiben Sie?'

Übungen

21 The perfect tense - strong verbs

Select the appropriate past participle from the list to complete each sentence.

(i) Wir haben den Bericht schon ...
(ii) Ich habe diesen Wein ...
(iii) Sie hat um 6 Uhr mit dieser Arbeit ...
(iv) Er hat meinen Wagen ...
(v) Mein Chef hat den Brief auf dem Tisch ...
(vi) Sie hat mir die Karte ...
(vii) Wir haben ein Bier ...
(viii) Sie hat den Brief schon ...

(getrunken, gefunden, gelesen, gestohlen, empfohlen, gegeben, geschrieben, begonnen)

22 *Put the following sentences into the perfect tense.*

(i) Wir finden das Büro nicht.
(ii) Er gewinnt das Spiel.
(iii) Sie nimmt die Zeitung.
(iv) Er gibt mir einen Rabatt.
(v) Sie trägt den Koffer.
(vi) Wir sitzen vor dem Büro.
(vii) Er verliert das Geld.
(viii) Sie vergißt ihre Aktentasche.

23 *The verbs in the following sentences all form the perfect tense by using 'sein' as the auxiliary verb. Put them into the perfect.*

(i) Wir fliegen nach Frankfurt.
(ii) Er geht in die Stadt.
(iii) Die Direktorin fährt heute nach Dortmund.
(iv) Was geschieht hier?
(v) Ich bleibe hier.
(vi) Er kommt um 9 Uhr.

24 **Wer, wen, wem**

Insert 'wer', 'wen' or 'wem':

(i) ... hat das gemacht?
(ii) Bei ... haben wir diese Maschinen bestellt?
(iii) ... kommt mit zur Konferenz?
(iv) ... hast du dort gesehen?
(v) Mit ... fährt er heute?
(vi) ... hat diesen Brief geschrieben?
(vii) An ... haben Sie geschrieben?

Assignment

6Q **Task A** *Listen to the taped telephone message from Markus Wolff to Heinz Volker, and note in English the relevant details.*

Task B *Prepare a fax from Heinz Volker to Markus Wolff to accept the job. Confirm that you can start in four weeks. You will call in to see him next week. You note that there is a conference in England in 6 weeks' time which you would like to go to. Check if this is in order.*

Task C *You personally have applied for the post of Vertreter/in at Dietrich.*

(i) Prepare a brief tabular CV using the information in this section.
(ii) On the basis of the CV your tutor/partner will interview you for the post, covering

- education
- experience
- reasons for applying for the post.

Vokabular

ablegen to take (exam)
Abitur (das) (equivalent of) 'A' level
Abschlußprüfung (die) final examination
Absprache (die) agreement, arrangement
Abteilung (die) department
Abwechslung (die) change
Aktentasche (die) briefcase
Angebot (das) offer
anstrengend tiring, strenuous
anstellen to take on (workers)
auffrischen to brush up
Ausbildung (die) training
Auszubildende (der, die) trainee

Bankkaufmann (der) qualified bank manager, clerk
Baufirma (die) construction firm
Bäcker (der) baker
berechtigt justified
Bereich (der) area, sector
Berufsaussichten (pl.) career prospects
berücksichtigen to consider
beschäftigen to employ
beschließen to decide
betragen to amount to
Betrieb (der) business, firm, company
Betriebswirtschaftslehre (=BWL) business studies
Bewerbung (die) application
Bibliothek (die) library
Binnenmarkt (der) the European Single Market
Botschaft (die) embassy
Brötchen (das) roll
Bücherei (die) library

Diaserie (die) set of slides
Diplom-Ingenieur (der) qualified engineer

EDV (= elektronische Datenverarbeitung) electronic data processing
einladen to invite
Einstellungstest (der) aptitude test
einwandfrei impeccable
empfehlen to recommend
entwickeln to develop
Erfahrung (die) experience

Fachkräfte (pl.) skilled workers
Fachrichtung (die) specialism
Fächerwahl (die) choice of subjects
Feinheit (die) subtlety, subtle difference
fließend fluent
Fremdsprache (die) foreign language
Führungsaufgabe (die) managerial role, job

gebürtig born in...
gefallen to please
gegenwärtig present
Gesamthochschule (die) comprehensive university
Geschäftsführer (der) manager
geschehen to happen
Gesellenzeit (die) apprenticeship
Gesellschaftswissenschaft (die) social science
gewiß certain
GmbH (= Gesellschaft mit beschränkter Haftung) limited liability company
Gymnasium (das) grammar school

Handelskorrespondenz (die) business correspondence
Handelsschule (die) business school
herstellen to manufacture

Jugendliche young people

kennenlernen to get to know
Konditor (der) confectioner, pastry-cook
Konkurrenz (die) competition
Kunststoffverarbeitung (die) synthetics processing

langweilig boring
Lebenslauf (der) curriculum vitae
Lebensmittel (pl.) food
Leistungskurs (der) main subject (in Abitur)
Lichtbild (das) photo

Naturwissenschaft (die) natural science
Neurochirurgie (die) neurosurgery

Oberstufe (die) upper school

Postfach (das) PO box
Praline (die) chocolate
Produktpalette (die) range of products

Rechtsanwaltsgehilfin (die) legal secretary

Sachbereich (der) specialist area
Schreibmaschine (die) typewriter
selbständig independent
selbstverständlich of course, certainly
Stimmung (die) mood, atmosphere
Studienschwerpunkt (der) main area of study

Teilnehmer (der) participant

Umgangsformen (pl.) manners, savoir-faire
Umgebung (die) environment, surroundings
Unterhaltung (die) entertainment, conversation
Unterlagen (pl.) documents
Unterschied (der) difference
ursprünglich original, originally
Übersetzer (der) translator
Übersetzung (die) translation
überwiegend primarily
üblich customary, usual
übrigens besides, moreover

Verantwortung (die) responsibility
verbessern to improve
Vereinbarung (die) agreement
verheiratet married
Verkaufsabteilung (die) sales department
Vertrieb (der) sales
verwandschaftlich related
Volkswirtschaft (die) economy, economics
Vorstandsebene (die) board level
vorstellen to introduce
vorziehen to prefer

wirtschaftlich economic
wohlwollend favourably

Zeugnis (das) certificate
zuständig relevant, appropriate
zweisprachig bilingual

Unit 7

INDUSTRY AND THE ECONOMY

You will learn about:

- Industry and the German economy
- Trade fairs
- Simple business communications

7A Die Leipziger Messe

Die Leipziger Messe, die älteste Messe der Welt, hat mit dem Strukturwandel in Osteuropa eine neue Bedeutung. Von 1993 an wird die Messe wieder mit den anderen großen deutschen Messeplätzen konkurrieren. In Osteuropa entsteht jetzt ein neuer Markt mit 400 Millionen Menschen. Wichtig für den Erfolg der neuen Messe ist aber eine Erholung der Wirtschaft im Osten. Die Leipziger Messe ist auf die folgenden Kernbereiche ausgerichtet: Umwelt; Konsumgüter (z.B. Mode und Auto); Fertigung; Transport; Dienstleistungen.

Strukturwandel	structural change
Bedeutung	significance
konkurrieren	compete
Erfolg	success
Kernbereiche	key areas

Übungen

1 *Answer the following questions.*

(i) Why is the Leipzig fair particularly famous?
(ii) What is happening in Eastern Europe?
(iii) What is the success of the new Leipzig fair dependent upon?
(iv) Name three of the main areas of interest of the Leipzig fair.

2 *From the above text, give the German equivalent of the following terms.*

(i) to compete with
(ii) recovery
(iii) consumer goods
(iv) to aim at

7B Die Autoindustrie

Die Entwicklung der Weltautomobilindustrie ist von Unternehmen aus den großen Produktionsregionen Japan, Nordamerika und Westeuropa abhängig. Mehr als zwei Drittel der Weltproduktion von Autos liegt in den Händen von nur acht Großkonzernen. Es gibt im allgemeinen einen Nachfragerückgang in der Autoindustrie, besonders für die amerikanischen Hersteller. Die einzige Ausnahme ist ein Nachfrageboom in West- und Ostdeutschland wegen der Wiedervereinigung.

Erst ab 1994 rechnet man mit einer allgemeinen Erholung der Nachfrage. Die Wirtschaftsforschungsinstitute rechnen bis 1996 mit einem jährlichen Wachstum der Kfz- Produktion in der EG von 2,9%.

rechnen mit	count on
Wirtschaftsforschungsinstitut	economic research institute
Ausnahme	exception

Übungen

3 Find in the above text expressions for:

(i) development
(ii) demand
(iii) decline
(iv) dependent
(v) manufacturer
(vi) reunification
(vii) growth
(viii) annual

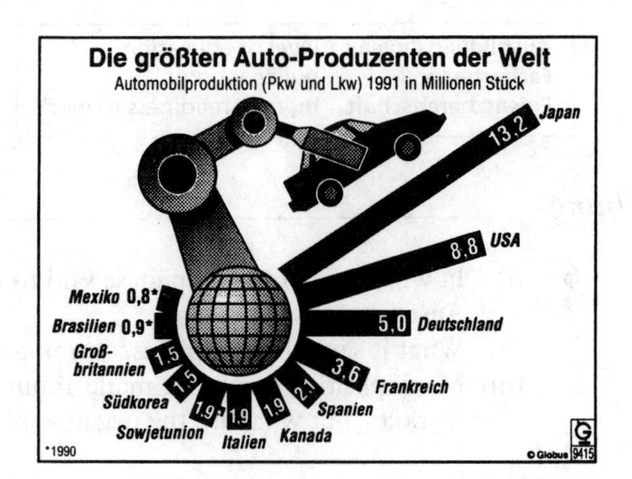

4 *Without producing a literal translation of the text above, write down the key points.*

 7C **5** *Listen to this recording about the German car industry, and then answer the questions which follow.*

schrumpft	shrinks
weltweit	worldwide
Pkw	private car
Rückgang	drop, decline

(i) What was the worldwide figure for vehicle production in 1989?
(ii) Give the figure for 1991.
(iii) What percentage drop does this represent?
(iv) How many cars were produced in Japan in 1991?
(v) How many cars were produced in America?
(vi) Where is Germany's position in the world rankings?

7D Eine Umfrage unter 10 000 Managern zeigt, daß Manager aus aller Welt das hohe Ausbildungsniveau der deutschen, schweizerischen und österreichischen Facharbeiter anerkennen. Die Manager bewerten aber die japanischen Trainingsmethoden als noch höher als die deutschen. Sie preisen die Einsatzbereitschaft der Japaner, und ihre Bindung an das Unternehmen. Die Produkt- und Marketingstrategie der Japaner finden sie ausgezeichnet.

In sozialer Hinsicht haben aber die Europäer Vorteile – die japanischen Arbeitnehmer müssen oft zwei Stunden in überfüllten Zügen zur Arbeit fahren, und die meisten wohnen zu sehr hohen Mieten in kleinen Wohnungen.

Ausbildungsniveau	level of education
Facharbeiter	skilled worker
Einsatzbereitschaft	morale, readiness to work

Übung

6 (i) In what area are the Japanese said to be superior to the Swiss, Austrians and Germans?
(ii) What is said about Japanese training methods?
(iii) Many positive points are made about Japanese business and workers, but what are the negative points?

TALKING BUSINESS

Heinz Volker und Marion Westhus arbeiten jetzt beide bei Dietrich. Sie haben vor zwei Monaten angefangen. Die Firma hat ihre neue Reihe von Waschmaschinen und Spülautomaten auf den Markt gebracht, und die Werbekampagne dafür hat begonnen. Deshalb müssen Heinz und Marion zur Messe in Berlin fahren. Sie besprechen jetzt, wie und wann sie fahren.

7E
Heinz: Wir könnten mit dem Zug nach Berlin fahren?
Marion: Das wäre möglich, aber die Zugreise finde ich noch sehr umständlich. Ich denke, wir fliegen am besten.
Heinz: Wenn Herr Dietrich das genehmigt, dann fliegen wir also.
Marion: Ich habe schon mit ihm gesprochen. Er hat nichts dagegen. Es kostet bestimmt mehr, aber wir sparen Zeit.
Heinz: Wir fliegen dann von Frankfurt? Wir müssen am Donnerstag in Berlin sein, und ich bin am Mittwoch schon in Frankfurt. Ich werde da übernachten, und ich treffe Sie am Flughafen.
Marion: Ja, in Ordnung. Meine Sekretärin kann den Flug buchen.

umständlich	awkward, inconvenient
genehmigen	to approve

Übung

7 Role play

You and your fellow students are both to go to a conference. Take a role each and then act out the situation using the clues below.

Role A	Role B
Where?	Munich
When?	Tuesday - Thursday
Go by car?	Possible, but slow. Train better.
	Times?
I'll find out.	
	Who books?
I'll book tomorrow.	

Der Flug ist jetzt gebucht. Marion ruft Heinz Volker an. Er ist im Hotel in Frankfurt.

7F

Heinz: Volker.
Marion: Guten Abend, Herr Volker. Wie geht's?
Heinz: Gut, danke. Ich bin sehr müde, aber ich glaube, ich habe einen neuen Kunden für uns.
Marion: Prima! Wen?
Heinz: Das ist ein Geschäft hier in Frankfurt. Es gibt Probleme mit einem Lieferanten. Sie warten schon seit mehr als drei Wochen auf Lieferung, und sie verlieren Kunden. Wenn wir in sieben Tagen liefern können, haben wir die Bestellung. Ich habe das schon Markus Wolff mitgeteilt.
Marion: Also, wegen morgen. Der Flug ist schon gebucht - ich fahre nach Frankfurt mit dem Zug, und ich treffe Sie am Flughafen.
Heinz: Wo und wann treffen wir uns?

Marion: Um 11 Uhr am Lufthansa-Informationsschalter. Ich glaube, der ist in Halle B.
Heinz: Den finde ich. Wann fliegen wir ab?
Marion: Um 12.30. Wir müssen vor 11.30 einchecken.
Heinz: Einverstanden. Bis morgen.
Marion: Auf Wiederhören.

Übungen

8 *Heinz believes he has found a new customer. He needs to call his head office to explain the situation. Prepare the phone call. Include the following points.*

- store name = Herder
- have branches in Frankfurt and other cities
- they want to order 60 machines model 34/A and 60 model 34/C
- must deliver in seven days
- further details to follow by fax

9 *Prepare the fax which Heinz needs to send as a follow- up to his phone call. Include the following details.*

- client's name = Herr Plön, of Herder, Langauer Allee, Frankfurt. Fax number = 069 33 68 72
- send written offer a.s.a.p.
- offer 5% discount?

Heinz und Marion sitzen im Flugzeug. Sie besprechen die Messe

7G

Heinz: Ich glaube, wir sollten rechtzeitig ankommen?
Marion: Ja. Wen treffen wir in Berlin?
Heinz: Wir fahren gleich zur Messe, und dort sehen wir Kerstin Reimann – sie ist unsere Vertreterin in Berlin, und sie ist an unserem Stand.
Marion: Hat sie schon alle Prospekte da?
Heinz: Ja, die Prospekte für die neue Reihe sind schon da. Ich finde sie eigentlich sehr gut!
Marion: Ja, das stimmt. Ich hoffe, daß wir mit diesen neuen Maschinen Erfolg haben. Ich habe gesehen, daß die Dietz auch eine neue Reihe eingeführt hat.
Heinz: Ich habe sie auf der Messe in Köln gesehen. Das sind echt gute Maschinen, aber ich finde den Preis zu hoch.

Marion: Wie teuer sind sie?
Heinz: Das Spitzenmodell kostet 10% mehr als unseres.
Marion: Aber Dietz hat den Vorteil, daß ihre Maschinen schon seit mehr als zwei Monaten auf dem Markt sind.
Heinz: Sie haben aber nur eine einjährige Garantie - unsere haben zwei Jahre.
Marion: So, wir landen gleich. Wie kommen wir zur Messe?
Heinz: Ich schlage vor, wir nehmen ein Taxi. Wir können das Gepäck unterwegs im Hotel lassen.

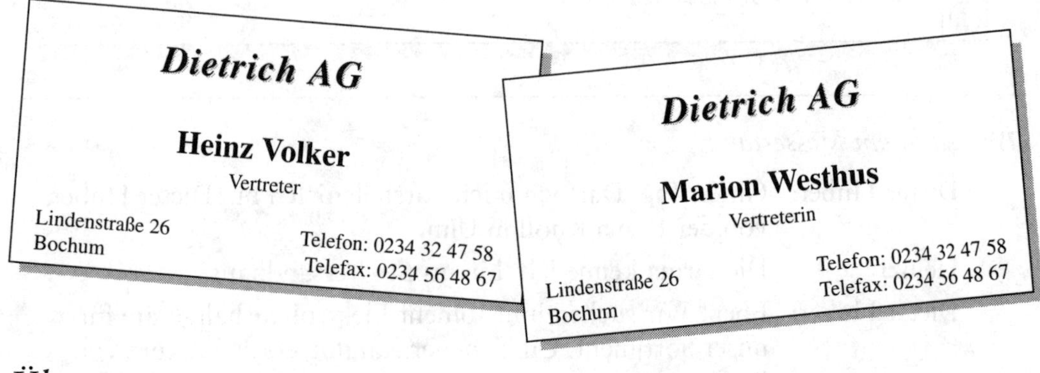

Übungen

10 (i) Was machen Heinz und Marion, wenn sie in Berlin ankommen?
(ii) Wer ist Kerstin Reimann?
(iii) Welche Prospekte besprechen Heinz und Marion?
(iv) Was hat die Firma Dietz gemacht?
(v) Welchen Vorteil hat die Firma Dietz?
(vi) Welchen Vorteil haben die Maschinen von Dietrich?
(vii) Wie fahren Marion und Heinz zur Messe?
(viii) Warum?

11 *You arrive at the trade fair. Greet Kerstin Reimann. Tell her that you will help her on the stand. You can stay until the evening. Tell her where you are staying and ask her to join you for an evening meal in the hotel restaurant.*

Your partner/tutor will play the role of Kerstin Reimann.

12 *Overleaf is a brief 'diary' of Heinz Volker's day. Write a fuller version of it in German: (um 8.00 Uhr habe ich...)*

8.00 Frühstück
10.00 > Flughafen
11.00 Marion Westhus, Informationsschalter
12.30 Flug > Berlin
14.00 > Hotel > Messe
16.00 Kaffee
20.00 > Hotel Abendessen

7H *Auf dem Messestand*

Dieter Huber:	Guten Tag. Darf ich mich vorstellen? Ich bin Dieter Huber, von der Firma Knoll in Ulm.
Heinz:	Die Firma kenne ich. Ein großes Versandhaus?
Dieter Huber:	Eben. Wir suchen im Moment Elektrohaushaltgeräte für unser Sortiment. Unser neuer Katalog erscheint kurz vor Weihnachten.
Heinz:	Und Sie sind an unseren Maschinen interessiert?
Dieter Huber:	Möglicherweise ja. Ich habe auch die neue Reihe von Dietz gesehen. Das sind gute Maschinen.
Heinz:	Aber nicht besser als unsere Reihe. Und wir haben eine zweijährige Garantie. Unsere Maschinen sind im Vergleich mit der Konkurrenz sehr preiswert - 10% billiger als die konkurrierenden Modelle.
Dieter Huber:	Wie sind die Lieferzeiten?
Heinz:	In der Regel können wir binnen zwei Wochen liefern. Wenn das eine große Bestellung ist, etwas länger.
Dieter Huber:	Was für einen Rabatt können Sie anbieten?
Heinz:	Für große Mengen etwa 6%. Das kann ich mit Ihnen weiter besprechen, wenn Sie Interesse haben.
Dieter Huber:	Gerne. Sind Sie morgen wieder da?
Heinz:	Ich bin bis 18.00 Uhr da, dann fliege ich nach Frankfurt zurück.
Dieter Huber:	Hier ist meine Karte.
Heinz:	Und hier ist meine auch. Bis morgen.
Dieter Huber:	Auf Wiedersehen.

13 *Fill in the gaps.*

An dem Stand ... sich Herr Huber vor. Er ... bei der Firma Knoll, einem großen ... in Ulm. Der ... Katalog von Knoll erscheint ... vor Weihnachten, und Herr Knoll ist an den neuen Maschinen von Dietrich ... Er findet auch die Maschinen von Dietz interessant. Er wird wahrscheinlich ... zurückkommen, und er gibt Heinz Volker seine ...

14 *Listen to the details of four companies exhibiting at the Messe in Leipzig. Then complete the table with information about these companies.*

71

Number	Name	Number of workers	Branches in	Makes	Main markets
1					
2					
3					
4					

Language structures

1. Separable verbs – perfect tense

In forming the past participle of separable verbs, the *ge-* is inserted between the separable prefix and the rest of the verb:

abfahren abgefahren ausgehen ausgegangen

2. Fractions

eine halbe Flasche	(half a bottle)
ein halbes Dutzend	(half a dozen)
die Hälfte	(half)
er trinkt nur die Hälfte	(he's only drinking half of it)
ein Drittel	(a third)

The rest of the fractions follow a logical pattern.

ein Viertel
ein Fünftel
ein Sechstel

ein Zwanzigstel

ein Hundertstel

etc.

Note: one and a half = anderthalb or eineinhalb
two and a half = zweieinhalb

3. Decimals

The decimal point is rendered by a comma in German, and is read out as such.

Therefore English 10.4 becomes German 10,4 and is read as 'zehn Komma vier'.

4. Comparative and superlative of adjectives

In German this follows much the same pattern as in English:

broad	broader	broadest
breit	breiter	breitest(e/r)

der breiteste Fluß

old	older	oldest
alt	älter	ältest(e/r)

der älteste Mann

With the vowels *a,o,u,* an *Umlaut* is usually added to the comparative and superlative, but there are certain exceptions.

Strong verbs - perfect tense with 'sein'

15 *Put the following sentences into the perfect tense.*

(i) Er fällt vom Fahrrad.
(ii) Wir gehen um 7 in die Stadt.
(iii) Sie kommt um 3 Uhr.
(iv) Die Inflationsrate sinkt.
(v) Die Preise steigen.
(vi) Das geschieht oft.
(vii) Wir laufen zur Haltestelle.
(viii) Sie kommen aus dem Büro.

16 *Insert the past participles of the following separable verbs.*

(i) Gestern ist er (ankommen)
(ii) Der Zug ist gleich (abfahren)
(iii) Er ist in Hannover (umsteigen)
(iv) Der Brief ist jetzt (eintreffen)
(v) Ich bin heute um 7 (aufstehen)

17 *Below is a diary of your day yesterday. Write an account of what you did using the perfect tense and the correct auxiliary 'sein' or 'haben'. You will need the following verbs in their appropriate forms: essen, gehen, fahren, anrufen, haben.*

7.00	Frühstück
8.00	› Haltestelle
8.10	Bus › Stadtmitte
8.30	› Büro
9.30	Besprechung mit Frau Thiel
12.30	Restaurant mit Herrn Klein
14.00	Frau Wirth (Anruf von)
17.00	Nach Hause

Assignment

After Heinz Volker's discussions with Dieter Huber they have had a further telephone conversation, and a couple of days later, Dietrich receive the following letter:

KNOLL GmbH

Münsterstraße 42

7900 Ulm

Tel: 0731 6 92 46

Fax: 0731 6 34 87

Herrn
Heinz Volker
Dietrich AG
Lindenstraße 45
4630 Bochum

Ihr Zeichen	Unser Zeichen	Ihre Nachricht vom	Tag
			12.10.

Sehr geehrter Herr Volker

Ich nehme Bezug auf unser gestriges Telefongespräch. Auf Grund der von Ihnen mitgeteilten Preise bestellen wir folgende Artikel:

120 Waschautomaten Modell 36/A

100 Spülautomaten Modell 34/B

Wie wir Ihnen schon mitgeteilt haben, müssen wir auf Lieferung binnen einer Woche bestehen. Die Ware ist an unsere Lagerhalle (Loherstraße 69, Ulm-Wiblingen) zu liefern.

Mit freundlichen Grüßen

Knoll GmbH

Task A *Translate the letter into English.*

Task B *You have a problem with the delivery time. You can deliver all of the washing machines in seven days, but only 40 of the dishwashers. You can deliver the remaining dishwashers in two weeks.*

Compose a short letter to Knoll to explain this.

Vokabular

anbieten to offer
anderthalb one and a half
anerkennen to acknowledge
Arbeitnehmer (der) employee
Ausbildungsniveau (das) level of education/training
ausgezeichnet excellent
Ausnahme (die) exception

Bedeutung (die) significance, meaning
Besprechung (die) discussion
bewerten to evaluate, value

Dienstleistungen (pl.) services

einchecken to check in
Einsatzbereitschaft (die) readiness for work, action
einverstanden agreed
Erfolg (der) success
Erholung (die) recovery, relaxation

Facharbeiter (der) skilled worker
Fertigung (die) manufacture
Flug (der) flight
Flughafen (der) airport
Flugzeug (das) plane

genehmigen to approve

Haltestelle (die) stop (tram, bus)
Hälfte (die) half
Hersteller (der) manufacturer

Inflationsrate (die) rate of inflation

Katalog (der) catalogue

Kernbereich (der) key/central area
Kfz-Produktion (die) car production (Kfz = Kraftfahrzeug)
Konsumgüter (pl.) consumer goods

Lagerhalle (die) warehouse
Lieferant (der) supplier
liefern to deliver
Lieferung (die) delivery
Lieferzeit (die) delivery time
Lkw (der) (= Lastkraft wagen) lorry, van, truck

möglicherweise possibly
Nachfrage (die) demand
Nachfrageboom (der) boom in demand
Nachfragerückgang (der) decline in demand

Pkw (der)
(= Personenkraftwagen) private car/vehicle
preiswert cheap, reasonably priced
Prospekt (der) brochure

rechtzeitig in time, timely

Rückgang (der) decline, recession

Sortiment (das) selection, range
Spitzenmodell (das) leading model
Spülautomat (der) dishwasher
Strukturwandel (der) structural change

umständlich awkward, inconvenient

Vergleich (der) comparison

Versandhaus (das) mail order company
Vorteil (der) advantage

Wachstum (das) growth
wahrscheinlich probably
weltweit worldwide

Werbekampagne (die) advertising campaign
Wiedervereinigung (die) reunification
Wirtschaftsforschungsinstitut (das) economics research institute

Unit **8**

THE NEW GERMANY

You will learn about:

- The reunified Germany
- The former East Germany
- Taking part in conversations on sales

Germany had been divided after World War II into the Federal Republic (West Germany) and the Democratic Republic (East Germany). The most emotive symbol of the East-West division was the Berlin Wall, built in August 1961 by the East German authorities in order to stop the flood of people moving from East to West in search of better living and working conditions.

In November 1989 there were demonstrations in various East German cities against the regime, and in the night of 9/10 November the passage through the Berlin Wall was opened. East Germans rushed in their thousands into the West. More changes followed: in March 1990 there were free elections in the German Democratic Republic, and in July the West German Mark was introduced in the East. On 3 October 1990 the Democratic Republic ceased to exist, and in December there was a general election for the whole of Germany, won by Chancellor Kohl, the 'Chancellor of Reunification'. The two German states were united after years of division.

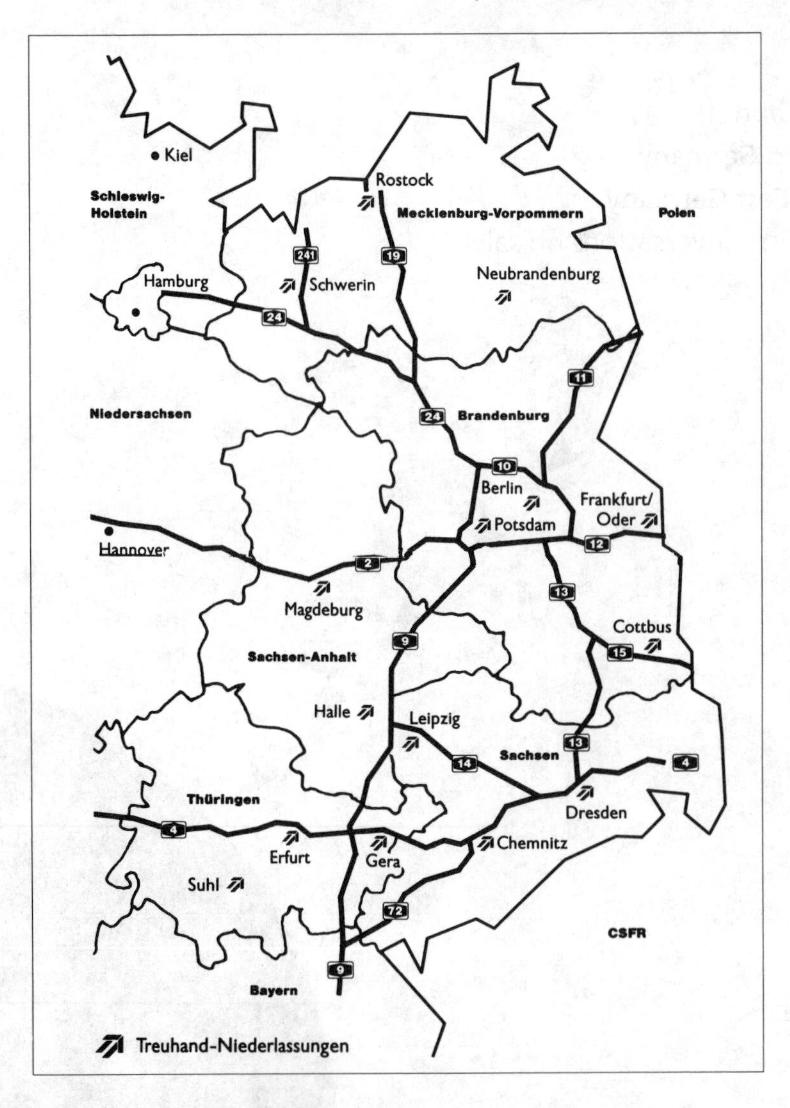

All has not run smoothly in the post-unification period, however. Taxes had to be raised to support the massive costs of reunification, and a huge amount of work remains to be done in updating East German industry and infrastructure.

Many East Germans, who had been virtually guaranteed full employment under the old regime, found themselves without a job and moved West, adding to the already serious shortage of housing in several cities.

In order to oversee and encourage the privatisation of East Germany's state-run industries and companies, an organisation called the **Treuhand** was set up. It has offices not only in the former East Germany (see map) but also in several other countries, including Britain, the USA, Italy and Spain.

Die ostdeutsche Industrie nach der Wiedervereinigung

8A Die ostdeutsche Industrie hat erhebliche Absatzschwierigkeiten, weil sie immer noch von Aufträgen aus der Gemeinschaft unabhängiger Staaten und anderen osteuropäischen Ländern abhängig ist. In 150 Treuhand-Uternehmen sind 200 000 Arbeitsplätze gefährdet, besonders in den Bereichen Maschinen-nenbau, Fahrzeugbau und Elektrotechnik.

Die Bundesregierung will die Absatzschwierigkeiten durch eine Umstellung auf westliche Märkte beheben: die ostdeutschen Firmen können sich nicht auf absehbare Zeit auf den Osthandel verlassen.

Übungen

1 *After reading the above text, give the German expressions for the following terms.*

(i)	sales difficulties	(v)	engineering
(ii)	orders	(vi)	to switch to
(iii)	to endanger	(vii)	to ease/solve
(iv)	dependent	(viii)	in the foreseeable future

2 *Produce a brief English summary of the main points of the text.*

8B Wegen der wirtschaftlichen Probleme in den neuen Ländern sind seit dem Fall der Berliner Mauer mehr als 700 000 Ostdeutsche nach Westdeutschland umgezogen. Pro Monat haben 15 000 bis 20 000 die neuen Bundesländer verlassen.

> **die neuen Bundesländer** = the term given to the 'Länder' in the former GDR

Werften im Westen benachteiligt

8C Die Werften in Schleswig-Holstein fühlen sich im Vergleich mit dem Schiffbaubetrieb in den neuen Ländern benachteiligt. Sie behaupten in einem Brief an die Regierung, daß Milliardenbeträge für die Werften im Osten bereitgestellt werden, während die Werften im Westen keine weiteren Mittel erhalten. Die Schiffbauunternehmen in Schleswig-Holstein befürchten, daß sie ab 1993 ohne Beschäftigung sein werden, wenn sie keine langfristigen Wettbewerbshilfen erhalten.

Übung

3 *Find German equivalents in the passage for.*

(i) shipyard
(ii) disadvantaged
(iii) amount
(iv) funds/means
(v) long-term
(vi) to make available
(vii) to fear

8D **Wenig Expansion**

Die Wirtschaftslage in den neuen Ländern wird in diesem Jahr nur wenig expandieren; für 1993 stellen die Prognosen ein Wachstum von zweieinhalb Prozent in Aussicht. Die Zahl der Arbeitslosen in Ost- und Westdeutschland wird in diesem Jahr steigen: Im Westen um etwa 100 000, im Osten um 140 000.

Übung

4 *Which of the following statements are true, based on the information in the passage?*

(i) Es ist ziemlich leicht, in Ostdeutschland eine Stelle zu finden.
(ii) Die Aussichten für die deutsche Wirtschaft sind sehr gut.
(iii) Man rechnet mit wenig Expansion in der deutschen Wirtschaft.
(iv) Die Arbeitslosenquote im Osten ist höher als im Westen.

Devisenmangel

Der Ost-Handel der neuen Bundesländer steht vor dem Zusammenbruch. Zu Zeiten der DDR waren die Länder des ehemaligen Ostblocks – die UdSSR, Polen, Ungarn, Rumänien, Bulgarien sowie die Tschechoslowakei – ihre wichtigsten Handelspartner. Nach dem Zusammenbruch der sozialistischen Wirtschaftssysteme und nach der deutschen Vereinigung gab es auch in den Handelsbeziehungen die Wende: Statt „sozialistische Bruderländer" heißt es nun „Weltmarkt". Der Rückgang beim Ost-Handel ist allerdings weniger der Orientierung auf den Weltmarkt als vielmehr der Wirtschaftskrise in Osteuropa zuzuschreiben. Die Zeiten des Transfer-Rubels sind vorbei; Rechnungen müssen nun mit harten Devisen bezahlt werden – und die sind in den Ländern Osteuropas rar. Globus

Statistische Angaben: Statistisches Bundesamt, IAW

Übung

5 *After reading the text 'Devisenmangel', answer the following questions.*

(i) Who were the most important trading partners of the GDR?
(ii) What significant change has come about since reunification?
(iii) What is the main reason for the recession in trade?
(iv) What has happened with regard to the rouble?

The texts hitherto have given a bleak picture of business and industry in the ex-GDR, but not all surveys are as pessimistic. There has, for example, been a surge of new initiatives in the service sector. In 1991, 50% of new businesses founded were in this sector, and that trend has continued.

Herr Denno, whom we have already met in a previous chapter, gives some information on the reunification and its significance for his town of Vreden.

8E Wir haben eine Partnerstadt in der ehemaligen DDR, Elsterwerda, das ist eine kleine Stadt von rund 12 000 Einwohnern in der Nähe von Dresden. Diese Kontakte existieren seit Anfang der achtziger Jahre. Eine Partnerschaft haben wir seit 1989, nach dem Fall der Mauer. Wir haben uns gegenseitig besucht, und es gibt inzwischen intensive Kontakte zwischen beiden Städten.

Es gibt auch eine Reihe von Hilfsmaßnahmen. Wir zeigen unseren ostdeutschen Freunden zum Beispiel Wege im Umgang mit der Demokratie, und wie man mit der Finanzierung der Dinge fertig wird.

Es gibt eine Menge Vredener, die Elsterwerda besucht haben, und auch das ganze Umfeld, z.B. Dresden, Leipzig oder Magdeburg. Da gibt es eine ganze Reihe von Kontakten und von Bekanntschaften, die sich da entwickelt haben. Ich denke, daß wir damit einen guten Beitrag leisten.

Übung

6 (i) Where is the town of Elsterwerda?
(ii) How long have contacts existed between Vreden and Elsterwerda?
(iii) When was the first official 'partnership'?
(iv) Why could it only develop officially from that time?
(v) In what ways does Herr Denno believe that his town and its people have helped the people of Elsterwerda?

A hotly discussed issue in Germany is that of the 'Asylanten' or political refugees. Many thousands have come to Germany in search of safety and employment, not all of them from the ex-GDR. It is a problem which has affected many German towns and cities, as the government has tried to allocate the 'Asylanten' fairly across the country. Here Herr Denno describes the impact of the problem on Vreden.

8F Wir sind natürlich betroffen wie alle anderen Gemeinden hier in Nordrhein-Westfalen auch; im Grunde genommen müssen wir ausführen, was der Kreis uns diktiert. Nach den Gesetzen des Landes bekommen wir eine gewisse Anzahl von Asylanten. Wir müssen eine gewisse Quote erfüllen, die Anfang des Jahres bei 400 war. Am Anfang waren die Asylanten teilweise in Sammelunterkünften, zum Beispiel in Turnhallen oder in leerstehenden Fabrikgebäuden untergebracht. Jetzt sind zwei neue Häuser im Bau, und in den Häusern werden etwa 40 Leute wohnen. Es gibt hier wenige Proteste gegen die Asylanten - die meisten Leute sind eher tolerant. Was hilft, ist daß wir die Asylanten dezentral unterbringen - wir wollen kein Ghetto schaffen. Die Asylanten wohnen in allen Stadt- und Ortsteilen.

Gemeinde	district, area of local government
ausführen	to do, carry out
Sammelunterkunft	communal accommodation

Übung

7 (i) Where were the refugees first accommodated?
(ii) What is being done to ease the housing problem?
(iii) What is the general attitude of the inhabitants to the problem?
(iv) What prevents ghettoes being formed?

TALKING BUSINESS

Markus Wolff und Heinz Dietrich besprechen die Verkaufslage. Die neue Reihe hat bis jetzt einen guten Absatz gefunden, besonders in England, aber es gibt noch Marktlücken.

8G

Herr Dietrich: Also, Herr Wolff, Sie haben die Verkaufszahlen von allen Vertretern jetzt?

Markus Wolff: Ja, Herr Dietrich. Die allgemeine Lage ist sehr gut. In England sind die Verkaufszahlen um 11% gestiegen.

Herr Dietrich: Ja, aber ich nehme an, daß es immer noch einige Probleme gibt?

Markus Wolff: Das stimmt. Die neue Reihe war erfolgreich, besonders in England und in Deutschland. Die Zahlen für Frankreich waren aber nicht so gut.

Herr Dietrich: Wissen Sie, warum?

Markus Wolff: Erstens, weil wir zwei Vertreter von der Niederlassung in Saarbrücken verloren haben - einer ist jetzt ersetzt worden, aber wir brauchen noch einen. Zweitens haben einige Kunden in Frankreich gesagt, die Preise sind noch für den französischen Markt etwas hoch. Die Verkaufszahlen für Frankreich sind in den letzten Monaten um 6% zurückgegangen.

Herr Dietrich: Das sind unsere Spitzenmodelle - wir können sie nicht zu niedrigeren Preisen anbieten. Die Produktionskosten sind höher als bei anderen Modellen.

Markus Wolff: Wir hatten aber eine Preissteigerung vor zwei Monaten.

Herr Dietrich: Ja, wie alle anderen Konkurrenten, und nur von 2%. Das finde ich nicht viel.

Markus Wolff: Vielleicht nicht, aber mit der heutigen Wirtschaftslage...

einen guten Absatz finden	to sell well
Marktlücken	gaps in the market
einer ist ersetzt worden	one of them has been replaced

Übung

8 (i) Warum sind die Verkaufszahlen für Frankreich nicht besonders gut?
(ii) Wie ist die Verkaufslage auf dem Englischen Markt?
(iii) Warum kann die Firma die Modelle nicht zu niedrigeren Preisen verkaufen?
(iv) Was sagt Herr Dietrich zu der Preissteigerung?

Ursula Klein, Markus Wolff und Herr Dietrich besprechen die Verkaufszahlen.

8H

Herr Dietrich: Frau Klein, Sie wissen schon, daß die Verkaufszahlen dieses Jahr für England und Deutschland gut waren, daß wir aber Probleme auf dem französischen Markt hatten?

Ursula Klein: Das weiß ich. Ich glaube aber, daß die Schwierigkeiten nur vorläufig sind. Wenn wir noch einen Vertreter für Saarbrücken haben, können wir den Markt in Frankreich intensiver bearbeiten.

Markus Wolff: Ich frage mich, ob wir eine Agentur in Frankreich brauchen?

Herr Dietrich: Unsere eigene Vertretung? Nein, ich glaube, das wäre zu kostspielig.

Markus Wolff: Nein, ich meine, wir kennen ja ein paar gute Agenturen, eine in Straßburg und noch zwei andere in Paris und Lyon.

Ursula Klein: Ich kenne die Agentur in Lyon – de Clerc & Müller. Sie ist eine Agentur mit sehr gutem Ruf.

Herr Dietrich: Wir müssen vorsichtig sein. Wenn wir verschiedene andere Agenturen haben, dann wird es auf die Dauer zu kostspielig.

Markus Wolff: Wir sollten aber zumindest mit den Leuten sprechen. Der französische Markt war immer für uns sehr wichtig. Wir sollten versuchen, die Verkaufszahlen dort zu verbessern.

Herr Dietrich: Also, ich schlage vor, Sie setzen sich in Verbindung mit einer oder zwei der Agenturen. Wir laden sie zu einer Besprechung ein.

Übungen

9 *The following statements are in the present tense. Rewrite them in the perfect tense.*

(i) Die Verkaufszahlen für England steigen um 3%.
(ii) Wir verlieren zwei Vertreter in Saarbrücken.
(iii) Die Zahlen für Deutschland gehen um 4% zurück.
(iv) Die Preise der Maschinen steigen.
(v) Der Preis dieses Modells sinkt.

10 *Prepare a short talk (or written report) on the performance of each of the following companies, first in the present tense, then in the perfect.*

Company A

- Prices up 4%
- Sales in England good - up 8%
- Sales in Germany not so good - up 2%
- Sales in Switzerland have dropped by 3%

Company B

- Two representatives leave the branch in Munich.
- German sales are good - a 6% increase.
- Price rise of only 1%
- French sales are quite good - up by 3%
- In England, sales are down by 2%

Language structures

1. The passive

The passive in English is formed by use of the verb 'to be' together with the past participle:

The man is seen

The letter is being written

In German, the passive is formed by use of *werden* in the appropriate person and tense, together with the past participle:

Das Auto wird gekauft. (The car is (being) bought.)

Die Waren werden bestellt. (The goods are (being) ordered.)

Der Mann wird gesehen. (The man is seen.)

2. 'Hatte', 'hatten'

This is the imperfect tense of the verb *haben*. Note the various forms:

ich hatte	I had
du hattest	you had
er/sie/es hatte	he/she/it had
wir hatten	we had
ihr hattet	you had
sie hatten	they had
Sie hatten	you had

3. 'War', 'waren'

This is the imperfect tense of the verb *sein*. Note the various forms:

ich war	I was
du warst	you were
er/sie/es war	he/she/it was
wir waren	we were
ihr wart	you were
sie waren	they were
Sie waren	you were

Übungen

11 The passive

Put the following sentences into the passive form.

e.g. Ich schreibe den Brief.

Der Brief wird geschrieben

(i) Sie macht die Arbeit jetzt.
(ii) Wir verkaufen das Auto.
(iii) Wir kaufen den Computer.
(iv) Sie sieht den Mann.
(v) Er bestellt die Lampen.
(vi) Wir reduzieren den Preis.
(vii) Wir beschäftigen den Arbeiter.
(viii) Sie schreibt den Bericht.
(ix) Er liest die Verkaufszahlen.

12 Hatte / hatten

Some of the following sentences require the appropriate form of 'haben' in the present tense, others require the imperfect tense. Insert the correct form in each case.

(i) Jetzt ... ich keine Zeit.
(ii) Gestern ... wir eine Besprechung mit dem Manager.
(iii) Vor zwei Tagen ... Friedrich ein Treffen mit Frau Kohrs.
(iv) Heute Abend ... wir eine Party.
(v) Gestern um 2 Uhr ... er einen Termin. Er hat aber vergessen.
(vi) Morgen ... Sie Besuch von Herrn Köhler, nicht wahr?
(vii) Er ... gestern keine Zeit, den Bericht zu lesen.
(viii) '... Sie gestern die Verkaufszahlen?' 'Nein, aber ich ... sie heute!'

13 War / waren

As in the preceding exercise, some of the following sentences require the present tense, some the imperfect tense. Insert the appropriate tense and form of the verb 'sein'.

(i) Wo ... er gestern? In Frankreich, aber er ... heute wieder im Büro.
(ii) Wir ... vor zwei Jahren beide an der Universität Freiburg. Jetzt ... wir bei derselben Firma.
(iii) So, wann ... Sie Studenten zusammen?
(iv) Die Verkaufszahlen ... letztes Jahr sehr enttäuschend. Dieses Jahr ... sie etwas besser.
(v) Mein Chef ... bis gestern in den USA.
(vi) ... ihr schon auf der Messe? Ja - vor zwei Tagen.
(vii) Wir ... noch nicht da. Wir fahren morgen dorthin.
(viii) Wo arbeitet Frau Lessing? Sie ... bei mir im Büro.

Assignments

8I **Task A** *Listen to the telephone message from Heinz Dietrich to Marion Westhus and note down the details in English.*

Task B *Compose on behalf of Frau Westhus a fax or a letter to Herr Dietrich, in response to his telephone message. Include the following points:*

- You can come to Bochum on Wednesday next.
- You are in France with clients before then.
- You will come directly from Paris to Bochum.
- You will fax him details of your hotel in Paris so that he can contact you there if necessary.

Task C *Prepare on behalf of Frau Westhus a short statement in German for Herr Dietrich and Herr Wolff about French sales. This will be given to them verbally at the forthcoming meeting.*

- Sales = generally disappointing this year
- You have sold more of model 34/A than of 36/B, but you believe you have two new customers:
  - chain store in Alsace (=Elsaß)
  - large store in Amiens

  Both may be placing a trial order soon.
- We shall get the order if we are prepared to grant a discount of about 8%.

Vokabular

abhängig dependent
Absatz (der) sales
absehbar foreseeable
Agentur (die) agency
Anzahl (die) number, total
arbeitslos unemployed
Arbeitslosenquote (die) unemployment ratio
Arbeitsplatz (der) job
Asylant (der) refugee, person seeking asylum
Aussichten (pl.) prospects

befürchten to fear
behaupten to maintain
beheben to remove
Beitrag (der) contribution
benachteiligt disadvantaged
Dauer (die) duration
Devisen (pl.) foreign currency
Devisenmangel (der) lack of foreign currency

Elsaß Alsace
enttäuschend disappointing
erfolgreich successful
erfüllen fulfil, meet
erheblich considerable
ersetzen to replace
etwa about, approximately

Fabrikgebäude (das) factory building
Fahrzeugbau (der) vehicle manufacture

gegenseitig mutual, reciprocal

Hilfsmaßnahmen (pl.) aid measures

inzwischen meanwhile, in the meantime

kostspielig pricey, expensive

langfristig long-term
leerstehend empty

Macht (die) power
Marktlücke (die) gap in the market

Niedergang (der) decline

Partnerschaft (die) partnership
Partnerstadt (die) twin town
Preissteigerung (die) price increase
Produktionskosten (pl.) production costs
Prognose (die) forecast

rechnen to calculate
Regierung (die) government
Reihe (die) series, row
Ruf (der) reputation

Sammelunterkunft (die) collective accommodation
Schiffbaubetrieb (der) shipbuilding company
Schiffbauunternehmen (das) shipbuilding company

teilweise partly, in part
Termin (der) appointment
Treuhand (die) organisation responsible for sale of former GDR companies to the private sector
Turnhalle (die) gymnasium

Umfeld (das) surrounding area
Umstellung (die) switch, change
unabhängig independent
unterbringen to accommodate

Verbindung (die) connection
Verkaufslage (die) sales position
Verkaufszahlen (pl.) sales figures
vorläufig temporary
vorsichtig careful, cautious

Werft (die) shipyard
Wirtschaftslage (die) economic situation

zumindest at least
zurückgehen to decline, drop

Common Social Situations

Travelling by train

die Fahrkarte	ticket
die Rückfahrkarte	return ticket
eine Rückfahrkarte nach Kiel	a return ticket to Kiel
eine einfache Fahrkarte	a single ticket
Hamburg, hin und zurück	return to Hamburg
Hamburg, einfach	single to Hamburg
erster oder zweiter Klasse?	first or second class?
wann fährt der nächste Zug nach Hannover?	when is the next train to Hannover?
muß ich umsteigen?	do I have to change?
der Zug fährt von Gleis 8 ab	the train leaves from platform 8
der Zug hat 10 Minuten Verspätung	the train is 10 minutes late
ist hier noch (ein Platz) frei?	is there a seat free here?
der Platz ist besetzt	the seat is taken
der Platz ist reserviert	the seat is reserved
der Raucher	smoker
der Nichtraucher	non-smoker
der Fahrplan	timetable
die Ankunft	arrival
die Abfahrt	departure

At the airport

wir fliegen nach Madrid	we're flying to Madrid
wann müssen wir einchecken?	when do we check in?
der Flugschein	ticket
der Flugsteig	gate
die Bordkarte	boarding card
haben Sie Gepäck?	have you any luggage?
nur Handgepäck	only hand baggage
der Flug ist leider voll besetzt	I'm afraid, the flight is full
die Sicherheitskontrolle	security check
die Paßkontrolle	passport control
Passagiere sollen sofort zum Flugsteig 9 gehen	passengers should go immediately to gate 9
die Flugzeit beträgt 4 Stunden	the flying time is 4 hours

Asking directions

ich habe mich verlaufen	I've lost my way
wie komme ich zum Theater/ zur Bank?	how do I get to the theatre/bank?
wo ist die Bonner Straße?	where is Bonn street?
ist sie weit von hier?	is it far from here?
nur zwei Minuten zu Fuß	only two minutes on foot
nur 4 Minuten im Auto	only four minutes by car
gehen Sie hier geradeaus	go straight on
dann die erste Straße links	then the first street on the left
die Post ist auf der linken Seite	the post office is on the left-hand side
auf der rechten Seite	on the right-hand side
die dritte Straße rechts	the third street on the right
wie kommen wir nach Hannover?	how do we get to Hannover?
Sie fahren auf der Bundesstraße 217	take the 217 trunk road
fahren Sie bis zur zweiten Ampel	go to the second set of lights
über die Kreuzung	over the junction
der Kreisverkehr	the roundabout
biegen Sie rechts ab	turn off right
verlassen Sie die Autobahn bei der zweiten Ausfahrt	leave the motorway at the second exit

In the restaurant

haben Sie einen Tisch frei?	have you a table free?
für wieviele Personen?	for how many people?
haben Sie reserviert?	have you reserved?
der Ober	waiter
die Kellnerin	waitress
Herr Ober!	waiter!
Fräulein!	waitress!
bitte schön?	what would you like?
haben Sie heute ein Menü?	do you have a set menu today?
was empfehlen Sie?	what do you recommend?
die Speisekarte	menu
die Getränkekarte	drinks menu
wir möchten bestellen	we should like to order
haben Sie schon gewählt?	have you chosen anything?
und zum Trinken?	and to drink?

guten Appetit!	enjoy your meal!
hat's geschmeckt?	did you enjoy your meal?
zahlen, bitte!	the bill, please
nehmen Sie Kreditkarten?	do you take credit cards?
stimmt so	keep the change
können Sie mir eine Quittung geben?	can I have a receipt?
die Vorspeisen	starters
die Suppen	soups
die Fleischgerichte	meat dishes
die Fischgerichte	fish dishes
das Geflügel	poultry
die Salate	salads
die Gemüse	vegetables
die Beilagen	side dishes
der Nachtisch	dessert
englisch	rare (meat)
medium	medium
durchgebraten	well done

At the hotel

die Rezeption	reception
der Empfang	reception
ich habe ein Zimmer reserviert	I've reserved a room
auf welchen Namen?	in what name?
auf den Namen Hartley	in the name of Hartley
ein Einzelzimmer	single room
ein Doppelzimmer	double room
ein Zweibettzimmer	twin room
mit Bad/Dusche/WC	with bath/shower/toilet
die Vollpension	full board
die Halbpension	half board
was kostet das Zimmer?	what does the room cost?
wie lange bleiben Sie?	how long are you staying?
wir bleiben bis Samstag	we're staying till Saturday
bitte tragen Sie sich hier ein	please fill in this form (when registering)
bitte füllen Sie den Meldeschein aus	please fill in the form

On the telephone

ich weiß die Telefonnummer nicht	I don't know the number
kann ich durchwählen?	can I dial direct?
die Vorwahl	the area code number
das Ortsgespräch	local call
das Ferngespräch	trunk call
das Auslandsgespräch	international call
das Inlandsgespräch	domestic call
das R-Gespräch	reverse charges call
den Hörer abheben	lift the receiver
aufhängen	to hang up
Schmidt!	Schmidt speaking

(in Germany one does not answer the phone by giving the number, as is frequently the case in Britain. The tendency is to simply give your surname when answering.)

ich möchte mit Frau Dietrich sprechen	I'd like to speak to Frau Dietrich
bitte bleiben Sie am Apparat	hold the line, please
ich verbinde gleich	putting you through now
ich habe mich verwählt	I've dialled the wrong number
ich bin falsch verbunden	I've been connected wrongly
die Leitung ist besetzt	the line is busy
das Telefon ist außer Betrieb	the phone is out of order
ich rufe morgen zurück	I'll call back tomorrow
auf Wiederhören	goodbye

At the bank

ich möchte hundert Pfund wechseln	I'd like to change a hundred pounds
Reiseschecks oder Bargeld?	travellers' cheques or cash?
wie ist der Kurs?	what's the rate?
der Euroscheck	eurocheque
ich möchte einen Scheck einlösen	I'd like to cash a cheque
können Sie mir etwas Kleingeld geben?	can you give me some change?
gehen Sie bitte zur Kasse	please go to the cash desk
ich möchte hundert Mark abheben	I'd like to draw a hundred Marks
ich möchte hundert Mark auf mein Konto einzahlen	I'd like to pay a hundred Marks into my account
überweisen (auf ein Konto)	to transfer (to an account)
wie steht mein Konto?/ wie ist mein Kontostand?	what's my balance?
können Sie bitte hier unterschreiben?	can you sign here please?

Sample Business Letters

On the following pages are several examples of German business letters, ranging from an enquiry for catalogues to a letter of complaint.

The tendency in German business correspondence, as in other languages, is towards simplification. Wordy letters are now the exception rather than the rule. Certain changes are also coming about in the vocabulary and the style used. The tendency is towards a more informal approach.

Note in particular:

- the opening 'Sehr geehrte Damen und Herren' is gaining ground, although the more old-fashioned 'Sehr geehrte Herren' is still very widespread.
- the standard close of most business letters (including, oddly enough, letters of complaint!) is 'mit freundlichen Grüßen'. Variations such as 'Hochachtungsvoll' and 'Mit vorzüglicher Hochachtung' are fast disappearing, but still very occasionally found.

It is suggested that the letters on the following pages are used for comprehension and limited translation exercise. Some of the constructions are advanced for learners at this stage, but much information can be extracted without the necessity for slavish translation into English.

Notes:

Ihr Zeichen: this would contain your reference, if you had already written to the company

Ihre Nachricht vom: this would indicate the date of your original letter

Unser Zeichen: the reference of the company/person writing the letter

Tag: the current date is entered here

Betreff: (not always used) here should be entered the subject matter of the letter.

HIRSCH UND FÜRST

Ihr PC-Fachgeschäft in der Stadtmitte

Langauer Straße 45
7000 Stuttgart

Telefon: 0711 38 56 49
Telefax: 0711 75 69 37

Nowotny AG
Dortmunder Straße 69
6600 Saarbrücken

Ihr Zeichen	Ihre Nachricht vom	Unser Zeichen	Tag
		GH/JG	2.3.19..

Betreff
Anfrage

Sehr geehrte Damen und Herren

Die Handelskammer in Saarbrücken hat uns Ihre Anschrift zur Verfügung gestellt. Wir sind ein mittelgroßes Fachgeschäft in Stuttgart, und wir spezialisieren uns auf den Verkauf von Personalcomputern.

Bitte senden Sie uns so bald wie möglich Ihren neuesten Katalog mit Angaben über Lieferzeiten, Preise und Zahlungsbedingungen.

Mit freundlichen Grüßen

Hartmann
Geschäftsleiter

Sample Business Letters

MAURER GmbH

Adenauerstraße 88 4600 Dortmund
Telefon: 0231 46 79 37
Fax: 0231 84 56 39

Johnson Craigie plc
Humber Industrial Estate
Leeds LS15 9PJ
England

Ihr Zeichen	**Ihre Nachricht vom**	**Unser Zeichen**	**Tag**
JH/GD	8.3.19..	JF/BF	18.3.19..

Betreff

Sehr geehrter Herr Harrison

Wir danken Ihnen für Ihre Anfrage vom 8.3.19.. Als Anlage erhalten Sie unseren Katalog mit Informationen über Lieferzeiten und Zahlungsbedingungen. Wir möchten darauf hinweisen, daß Sie einen weiteren Rabatt von 4% erhalten, wenn Sie Ihre Bestellung vor Ende des Monats erteilen.

Wir sehen Ihrer Bestellung gern entgegen und verbleiben

Mit freundlichen Grüßen

Friedrichs
Verkaufsleiter

BOHNE UND BERGER

Ofterdingenstraße 36 4000 Düsseldorf
Telefon: 0211 65 43 93 Telefax: 0211 57 69 37

Lessing GmbH
Nathanstraße 48
4400 Münster

Ihr Zeichen Ihre Nachricht vom Unser Zeichen Tag
BN/MH 7.3.19.. RBB/TK
18.3.19..

Betreff
Bestellung

Sehr geehrter Herr Nossack

Wir danken Ihnen für Ihren Katalog und Ihre Preiseliste, die Sie uns letzte Woche zugeschickt haben. Aufgrund der Katalogpreise möchten wir folgende Artikel bestellen:

60 Füllhalter - Katalognummer BN/6548
60 Kugelschreiber - Katalognummer BG/4769

Wir brauchen die Artikel bis zum 8.4.19.., da wir Bestellungen von mehreren Kunden haben. Sie sollten an unser Geschäft in Schillerstraße geliefert werden.

Mit freundlichen Grüßen

Bohne-Berger
Geschäftsführerin

TAMBAUER UND DAUN

Schöffenstraße 96 • Frankfurt/Main • Telefon: 069 74 37 65 • Telefax: 069 85 46 37

Acme Lighting co.
Brightside Ringway
Birmingham
B45 9PG

England

Ihr Zeichen	**Ihre Nachricht vom**	**Unser Zeichen**	**Tag**
		HG/HDF	6.8.19.

Sehr geehrte Herren

Vor zwei Wochen bestellten wir von Ihnen 20 CD-Spieler (Modell CD/57/gh). Die Ware ist gestern bei uns eingetroffen, aber zu unserem Bedauern mußten wir feststellen, daß einige Spieler in beschädigtem Zustand waren: bei vier war das Gehäuse verkratzt.

Wir müssen darauf bestehen, daß Sie die beschädigten Spieler auf Ihre Kosten ersetzen, und wir schicken sie Ihnen umgehend zurück. Wir brauchen Ersatzspieler binnen einer Woche, da unsere Kunden schon seit zwei Wochen warten.

Mit freundlichen Grüßen

Gensch
Geschäftsleiter

Lemaire & Leconte

Bahnhofstraße 79 6600 Saarbrücken Telefon: 0681 57 46 20
Telefax: 0681 46 59 78

Hartley Electrics
25 Nottingham Way
Coventry CV14 3PH

Ihr Zeichen	**Ihre Nachricht vom**	**Unser Zeichen**	**Tag**
		SN/YGF	12.5.19..

Betreff
Vertretung

Sehr geehrte Damen und Herren

Ihrer Anzeige in der 'Zeit' vom 6.5.19.. entnehmen wir, daß Sie einen Auslandsvertreter für den Verkauf Ihrer Haushaltgeräte suchen. Wir interessieren uns sehr für diese Vertretung. Wir haben schon zwanzig Jahre Erfahrung in diesem Bereich, und wir haben viele britische Firmen vertreten.

Wir haben Niederlassungen in Deutschland, Frankreich und in der Schweiz, und wir sind in der Lage, den europäischen Markt für Sie intensiv zu bearbeiten. Unsere Vertreterin, Frl. J. Clayton, wird nächste Woche in Coventry sein, und sie wird die Gelegenheit wahrnehmen, die Sache mit Ihnen weiter zu besprechen. Sie wird sich mit Ihnen in Verbindung setzen.

Wir hoffen, daß Sie sich für diese Zusammenarbeit interessieren und verbleiben

mit freundlichen Grüßen

Norbert
Geschäftsführer

Grammar Reference

Sequence of sections in this reference:

A. Cases

There are four cases in German:

- **Nominative:** used to indicate the subject of the verb
- **Accusative:** used for the object of the verb, and after some prepositions
- **Genitive:** used to indicate possession, and after some prepositions
- **Dative:** used to indicate the indirect object, and also used after certain verbs and prepositions.

The case system applies to all nouns, pronouns and adjectives in German.

B. Nouns

There are three genders of noun in German:

- Masculine (der Stuhl)
- Feminine (die Lampe)
- Neuter (das Haus)

Nouns in German are always written with an initial capital letter.

There are various ways in which German nouns form their plural forms. There are guidelines as to the forms, but the safest method is to learn the plural of the noun when you learn its meaning and its gender.

Here are some of the 'patterns' of noun plurals:

MASCULINE:

1. No change in the plural form:

der Diener	die Diener
der Kellner	die Kellner
der Rasen	die Rasen
der Fehler	die Fehler
der Zweifel	die Zweifel

Most masculine nouns ending in *-el*, *-er*, or *-en* belong to this group.

2. Nouns which add an *Umlaut* in the plural:

der Laden	die Läden
der Garten	die Gärten
der Vater	die Väter
der Hafen	die Häfen

3. Nouns which add an *Umlaut* and *-e* in the plural form:

der Sohn	die Söhne
der Stuhl	die Stühle
der Arzt	die Ärzte

4. Nouns which add an *Umlaut* and *-er* in the plural form:

der Mann	die Männer
der Wald	die Wälder
der Gott	die Götter

FEMININE:

1. Nouns which add (-) (*e*) *n* in the plural form:

die Frau	die Frauen
die Dame	die Damen
die Fahrt	die Fahrten
die Uhr	die Uhren

Most feminine nouns form their plural in this way.

2. Nouns which add an *Umlaut* and *-e* in the plural form:

die Stadt	die Städte
die Wurst	die Würste
die Nacht	die Nächte
die Hand	die Hände

NEUTER:

1. Nouns which add *-er* and if possible an *Umlaut* in the plural form:

das Rad — die Räder
das Dorf — die Dörfer
das Schild — die Schilder
das Bild — die Bilder
das Gehalt — die Gehälter

2. Nouns which do not change in the plural form. These are neuter nouns ending in *-chen, -er, -en, -lein.*

das Ufer — die Ufer
das Zimmer — die Zimmer
das Muster — die Muster
das Mädchen — die Mädchen
das Fräulein — die Fräulein
das Becken — die Becken

There are of course other patterns, but those indicated above are the most common.

C. Pronouns

Pronouns must take the gender, number and case of the nouns they are replacing:

Das ist ein schöner Wagen. Ich kaufe ihn morgen.
Haben Sie meine Aktentasche? Ja, ich habe sie.
Sehen Sie das Gebäude dort? Ja, ich sehe es.

The full pattern of pronouns is:

	Singular						
Nominative Accusative Dative	ich mich mir	du dich dir	er ihn ihm	sie sie ihr	es es ihm		Sie Sie Ihnen
	Plural						
Nominative Accusative Dative	wir uns uns	ihr euch euch	sie sie ihnen	sie sie ihnen	sie sie ihnen		Sie Sie Ihnen

D. The definite article

In German the form of the definite article changes to indicate the gender, number, and case of the noun:

	Masculine	Feminine	Neuter
Nominative	der Stuhl	die Lampe	das Haus
Accusative	den Stuhl	die Lampe	das Haus
Genitive	des Stuhls	der Lampe	des Hauses
Dative	dem Stuhl	der Lampe	dem Haus
	Plural		
Nominative	die Stühle		
Accusative	die Stühle		
Genitive	der Stühle		
Dative	den Stühlen		

E. The indefinate article

As with the definite article, the form of the indefinite article changes to indicate gender, number and case of the noun:

	Masculine	Feminine	Neuter
Nominative	ein	eine	ein
Accusative	einen	eine	ein
Genitive	eines	einer	eines
Dative	einem	einer	einem

F. Adjectives

Adjectives in German do not take an ending unless they precede a noun:

das Büro ist klein
die Lampe ist neu

but:

das kleine Büro
die neue Lampe

Where the adjective precedes the noun in German, it takes particular endings appropriate to its case, number and gender. The table overleaf indicates the endings after the **definite** article:

	Masculine	Feminine	Neuter
Nominative Accusative Genitive Dative	der blaue Wagen den blauen Wagen des blauen Wagens dem blauen Wagen	die alte Lampe die alte Lampe der alten Lampe der alten Lampe	das neue Haus das neue Haus des neuen Hauses dem neuen Haus
	Plural		
Nominative Accusative Genitive Dative	die neuen Häuser die neuen Häuser der neuen Häuser den neuen Häusern		

The endings after the **indefinite** article are as follows:

	Masculine	Feminine	Neuter
Nominative Accusative Genitive Dative	ein blauer Wagen einen blauen Wagen eines blauen Wagens einem blauen Wagen	eine alte Lampe eine alte Lampe einer alten Lampe einer alten Lampe	ein neues Haus ein neues Haus eines neuen Hauses einem neuen Haus
	Plural		
Nominative Accusative Genitive Dative	keine neuen Häuser keine neuen Häuser keiner neuen Häuser keinen neuen Häusern		

Note: since there is no plural form of *ein/eine* etc., the endings after *keine* are indicated.

COMPARISON OF ADJECTIVES

The usual pattern is the same as in English, i.e. the adjective adds *-er:*

Mein Büro ist neu. Sein Büro ist neuer.

Dieser Wagen ist schnell, aber mein Wagen ist schneller.

Certain adjectives take an *Umlaut* in the comparative form:

Fritz ist älter als Renate.

Theo ist jünger als Max.

As in the case of other adjectives, if the adjective precedes the noun, it must take an appropriate ending:

die größeren Firmen

die älteren Maschinen

G. Verbs

PRESENT TENSE

Most verbs in German take the same endings in the present tense:

ich kaufe
du kaufst
er/sie/es kauft
wir kaufen
ihr kauft
sie kaufen
Sie kaufen

The verbs *to be* and *to have* are irregular in German, as in many other languages:

ich bin
du bist
er/sie/es ist
wir sind
ihr seid
sie sind
Sie sind

ich habe
du hast
er/sie/es hat
wir haben
ihr habt
sie haben
Sie haben

WORD ORDER

In main clauses, the verb is the second 'idea':

Ich gehe heute in die Stadt.
Heute gehe ich in die Stadt.

Wir fahren jetzt nach Hannover.
Jetzt fahren wir nach Hannover.

In subordinate clauses, the verb is at the end of the clause:

Wenn wir nach Hannover fahren, besuchen wir die Messe.
Wenn er um 8 Uhr ankommt, gehen wir aus.

In sentences in which there are expressions of time, manner and place, the expressions are usually in that sequence:

Wir fahren heute (time) mit dem Zug (manner) nach Hannover (place).

QUESTIONS

The verb and subject are inverted:

Er kommt morgen. Kommt er morgen?
Wir fahren gleich. Fahren wir gleich?

NEGATION

Verbs are made negative by using 'nicht':

Er besucht uns. Er besucht uns nicht.
Ich kaufe den Computer. Ich kaufe den Computer nicht.

PERFECT TENSE

Weak verbs form their perfect tense by using the auxiliary verb *haben* with the past participle.

The past participle is formed by removing *-en* from the infinitive form of the verb, and adding *ge* to the front of the verb, and (*e*)*t* to the end:

kaufen - kauf - gekauft
arbeiten - arbeit - gearbeitet

Thus:

ich kaufe - I buy
ich habe gekauft - I have bought

Most strong verbs also use *haben* as an auxiliary verb, but their past participle is formed by adding *-en* rather than *-et,* and the verb frequently undergoes a vowel change:

trinken - getrunken
sitzen - gesessen

ich trinke - I drink
ich habe getrunken - I have drunk

ich schreibe - I write
ich habe geschrieben - I have written

The form of the past participle of strong verbs is given in any good dictionary.

Some verbs, which indicate a change of position or a change of state, take *sein* as an auxiliary verb:

ich fliege	ich bin geflogen
ich fahre	ich bin gefahren
ich steige	ich bin gestiegen

IMPERFECT TENSE

The imperfect tense of the verbs *sein* and *haben* is used very frequently:

ich war	I was, etc.
du warst	
er/sie/es war	
wir waren	
ihr wart	
sie waren	
Sie waren	
ich hatte	I had, etc.
du hattest	
er/sie/es hatte	
wir hatten	
ihr hattet	
sie hatten	
Sie hatten	

FUTURE TENSE

This is formed by using the appropriate form of *werden*, in the present tense, together with an infinitive:

ich fahre - ich werde fahren

wir essen - wir werden essen

The full form of the verb *werden* in the present tense is as follows:

ich werde
du wirst
er/sie/es wird
wir werden
ihr werdet
sie werden
Sie werden

H. Modal verbs

The modal verbs in German (*können, dürfen, mögen, müssen, sollen, wollen*) frequently take a dependent infinitive:

ich kann heute gehen

wir wollen jetzt kommen

er darf heute spielen

They are irregular verbs, and the forms are indicated over:

ich kann	ich darf	ich mag	ich muß	ich soll	ich will
du kannst	du darfst	du magst	du mußt	du sollst	du willst
er/sie/es kann	er/sie/es darf	er/sie/es mag	er/sie/es muß	er/sie/es soll	er/sie/es will
wir können	wir dürfen	wir mögen	wir müssen	wir sollen	wir wollen
ihr könnt	ihr dürft	ihr mögt	ihr müßt	ihr sollt	ihr wollt
sie können	sie dürfen	sie mögen	sie müssen	sie sollen	sie wollen
Sie können	Sie dürfen	Sie mögen	Sie müssen	Sie sollen	Sie wollen

Mögen is frequently used in its imperfect subjunctive form:

ich möchte jetzt gehen

möchten Sie ein Bier?

möchten Sie heute kommen?

SEPARABLE VERBS

Separable verbs have a separable prefix, which in main clauses is separated from the verb, and is placed at the end of the clause:

umsteigen wir steigen in Hannover um

ankommen wir kommen um 3 Uhr an

In subordinate clauses, it is reconnected to the verb:

Wenn wir in Hannover umsteigen, sind wir um 11 Uhr in München.

In forming their past participle, separable verbs insert the ge- between the prefix and the rest of the verb:

abfahren abgefahren

ankommen angekommen

umsteigen umgestiegen

I. Days of the week

Sonntag	Sunday
Montag	Monday
Dienstag	Tuesday
Mittwoch	Wednesday
Donnerstag	Thursday
Freitag	Friday
Samstag	Saturday
(Sonnabend)	(Saturday)

J. Months of the year

Januar	January
Februar	February
März	March
April	April
Mai	May
Juni	June
Juli	July
August	August
September	September
Oktober	October
November	November
Dezember	December
im Mai	in May
Ende September	at the end of September
Anfang September	at the beginning of September

K. Numbers

eins	one
zwei	two
drei	three
vier	four
fünf	five
sechs	six
sieben	seven
acht	eight
neun	nine
zehn	ten
elf	eleven
zwölf	twelve
dreizehn	thirteen
vierzehn	fourteen
fünfzehn	fifteen
sechzehn	sixteen
siebzehn	seventeen
achtzehn	eighteen
neunzehn	nineteen
zwanzig	twenty
einundzwanzig	twenty-one
zweiundzwanzig	twenty-two
dreißig	thirty
vierzig	forty
fünfzig	fifty
sechzig	sixty
siebzig	seventy
achtzig	eighty

neunzig	ninety
hundert	one hundred
hunderteins	101
hundertdreiunddreißig	133
zweihundert	two hundred
tausend	one thousand
eine Million	one million
eins Komma fünf 1,5	1.5 (one point five)
vier Prozent	4%

Ordinal numbers are formed by adding *-(s)t* to the cardinal number, and the appropriate adjective ending:

zwei	die zweite Straße links
vier	der vierte Mann
zwanzig	die zwanzigste Firma

Note that two of the ordinal numbers are irregular:

eins - one	die erste Straße
drei - three	der dritte Mann

L. Time

The twenty-four hour clock is very frequently used:

13.45 Uhr	dreizehn Uhr fünfundvierzig
15.29 Uhr	fünfzehn Uhr neunundzwanzig

Various other methods of telling the time are used:

10.45		zehn Uhr fünfundvierzig
	or	Viertel vor elf
	or	fünfzehn Minuten vor elf
	or	dreiviertel Elf (this is common in the South)
10.50		zehn Uhr fünfzig
	or	zehn Minuten vor elf
	or	zehn vor elf
9.30		neun Uhr dreißig
	or	halb zehn

What time is it?	wieviel Uhr ist es? wie spät ist es?

M. Dates

To form dates, the ordinal numbers are used:

May 2	der zweite Mai
November 4	der vierte November
December 20	der zwanzigste Dezember
on 2 May	am zweiten Mai
on 4 July	am vierten Juli
on December 20	am zwanzigsten Dezember

N. Prepositions

Prepositions in German take the *Accusative*, *Genitive*, or *Dative* cases.

Some prepositions which always take the *Accusative* are:

bis
durch
entlang
für
gegen
ohne
um

Some which take the Genitive are:

trotz wegen statt

(Note: there is an increasing tendency in spoken German to use *wegen* with the Dative case.)

Some which always take the Dative are:

aus
außer
bei
mit
nach
seit
von
zu
gegenüber

In with Dative or Accusative:

If motion to or into is implied, then *in* is used with the Accusative:

er geht in das Zimmer = into the room

wir gehen ins Kino = (in) to the cinema

If 'static location' is implied, *in* is used with the Dative:

er sitzt in dem/im Zimmer = in the room

wir bleiben in dem/im Büro = in the office

Rule also applies to auf, an, über, unter, vor, hinter, zwischen.

Glossary

Abend (der) evening
Abendessen (das) dinner
aber but
Abfahrt (die) departure
abflugbereit ready for departure (plane)
abhängig dependent
abheben withdraw money (bank)
Abitur (das) (approx) equivalent of A level
ablegen to take off coat, etc.
Abreisezeit (die) departure time
Absatz (der) sales
Abschlußprüfung (die) final examination
Abschnitt (der) section, part
absehbar foreseeable
Absprache (die) agreement
nach Absprache by agreement
Abteilung (die) department
Abteilungsleiter/in (der/die) department manager/ess
Abwechslung (die) change, variation
AG = Aktiengesellschaft (die) joint-stock company
Aktentasche (die) briefcase
Aktiengesellschaft (die) joint-stock company
alkoholfrei alcohol-free
allgemein general
Anbau (der) extension (building)
anbieten to offer
anderthalb one-and-a-half
anerkennen to acknowledge
angeben to quote, state
Angebot (das) offer
angenehm pleasant, 'pleased to meet you'
Angestellte (der/die) white collar worker, employee
ankommen to arrive
Ankunft (die) arrival
Anlageberatung (die) investment advice
anrufen to call
Anschluß (der) connection
anstellen to take on, employ
anstrengend tiring, exhausting
Antrag (der) application
Antragsformular (das) application form
Antragsvordruck (der) application form
Anzahl (die) number
Anzeige (die) advert
Apfel (der) apple
Apotheke (die) pharmacy
Apotheker (der) pharmacist
Apparat (der) camera, apparatus
arbeiten to work
Arbeiter/in (der/die) worker
Arbeitgeber/in (der/die) employer
Arbeitnehmer/in (der/die) employee
Arbeitsgruppe (die) working group
arbeitslos unemployed
Arbeitslosenquote (die) unemployment quota
Arbeitsplatz (der) job
Arzneimittelbelieferung (die) supply of medicines
Asylant (der) person seeking asylum
auffrischen to freshen up, brush up
Aufgabe (die) task
Aufzug (der) lift
Augenblick (der) moment
aus from, out
Ausbildung (die) training, education
Ausbildungsniveau (das) level of education
ausfüllen to fill in
ausgehen to go out
ausgezeichnet excellent
Auskunft (die) information
Ausnahme (die) exception
Aussichten (pl.) prospects
aussteigen to get off (train, etc)
ausstellen to exhibit, set out
Ausweis (der) identity card
Auszubildende (der/die) trainee
Auszug (der) extract
Auto (das) car
Autobahnausfahrt (die) motorway exit

Bäcker (der) baker
Börse (die) stock exchange
Bücherei (die) library
Büro (das) office
Bad (das) bath
Bahnhof (der) station
Bahnhofsvorhalle (die) station concourse
Banane (die) banana
Bank (die) bank
Bankdirektor/in (der/die) bank manager/ess
Bankkaufmann (der) bank manager
Bankkonto (das) bank account
Bankwesen (das) banking
bar in cash
Bargeld (das) cash
bauen to build
Baufirma (die) construction company

Bausparkasse (die) building society
Bausparvertrag (der) savings account for house purchase
bearbeiten to process
bedeuten to mean, signify
Bedeutung (die) meaning
Bedienung (die) service
beeilen (sich) to hurry
befürchten to fear
behaupten to maintain
beheben to remove, ease
beheizt heated
Beitrag (der) contribution
bekommen to get
beliebt popular
beliefern to supply (someone)
benachteiligt disadvantaged
berücksichtigen to consider
beraten to advise
berechtigt justified
Bereich (der) area
berichten to report
Beruf (der) profession
Berufsaussichten (die) career prospects
Berufskrankheit (die) occupational illness
Berufsschule (die) further/professional education college
beschäftigen to occupy, employ
beschließen to decide
beschränken to limit
besetzt occupied, taken
besonders especially
besprechen to discuss
Besprechung (die) discussion
bestätigen to confirm
bestellen to order
Bestellung (die) order
besuchen to visit
betragen to amount to
Betreff (der) matter
Betrieb (der) firm, company
Betriebswirtschaftslehre (die) (=BWL) business studies
Bewegung (die) movement
bewerben (sich) (um) to apply for
Bewerber/in (der/die) applicant
Bewerbung (die) application
bewerten to value, evaluate
Bibliothek (die) library
Bier (das) beer
Bildschirmgerät (das) monitor, VDU
billig cheap
Binnenmarkt (der) the Single Market
bis until
bitte please
bleiben to remain
bleifrei unleaded
Bordkarte (die) boarding pass (plane)
Botschaft (die) embassy
Brötchen (das) bread roll
Brüssel Brussels
brauchen to need
Briefmarke (die) postage stamp
Briefmarkensammler (der) stamp collector
Buch (das) book
buchen to book, reserve
Bundesbürger/in (der/die) lit: 'federal citizen' = German
Bundesbahn (die) German Rail
Bundesbank (die) German Federal Bank
BWL (= Betriebswirtschaftslehre) (die) Business Studies

dürfen to be allowed to
da since, there
Dampfkartoffeln (pl.) boiled potatoes
danke thank you
danken to thank
dann then
Datenverarbeitung (die) data processing
Dauer (die) duration
dauern to last
deshalb therefore
Devisen (pl.) foreign currency
Devisenmangel (der) shortage of foreign currency
Diaserie (die) series of slides
Dienstag (der) Tuesday
Dienstleistungen (pl.) services
Diplom-Ingenieur (der) qualified engineer
Diskontsatz (der) discount rate
Donnerstag (der) Thursday
Doppelzimmer (das) double room
dringend urgent
durchführen to carry out
Durchsage (die) announcement
Dusche (die) shower

Ecke (die) corner
EDV (= elektronische Datenverarbeitung) (die) data processing
ehemalig former
eigentlich really
Eilzug (der) semi-fast train
Einbettzimmer (das) single room
einchecken to check in
einfach simple, single (ticket)

einige a few, several
Einkaufsbummel (der) shopping trip
einlösen to cash (cheque)
einladen to invite
Einsatzbereitschaft (die) readiness for action
einsteigen to get on (train, etc.)
Einstellungstest (der) placement test, aptitude test
eintönig monotonous
einverstanden agreed
einwandfrei faultless
einzahlen to pay in
Einzelpraxis (die) individual practice
Einzelzimmer (das) single room
Eis (das) ice cream, ice
Eiscafe (das) ice cream parlour
elektronisch electronic
Elsaß Alsace
Eltern (pl.) parents
Empfangsdame (die) receptionist
empfehlen to recommend
enthalten to contain
entschuldigen to excuse
Entschuldigung (die) excuse
enttäuschend disappointing
entwickeln to develop
eröffnen to open
erfüllen to fulfil, meet
Erfahrung (die) experience
Erfolg (der) success
erfolgreich successful
erhalten to receive, maintain
erheblich considerable
Erholung (die) recovery, relaxation
erkältet suffering from a cold
Erkältung (die) cold
erklären to explain
ersetzen to replace
essen to eat
Etage (die) storey, floor
etwa about, approximately

Fach (das) subject (education)
Fächerwahl (die) choice of subjects
Führungsaufgabe (die) management responsibility
Fabrikgebäude (das) factory building
Facharbeiter/in (der/die) skilled worker
Fachkräfte (pl.) skilled labour
Fachrichtung (die) specialism
fahren to travel, go
Fahrkarte (die) ticket
Fahrkartenschalter (der) ticket counter
Fahrschein (der) ticket
Fahrt (die) journey
Fahrzeugbau (der) vehicle manufacture
falsch wrong
Familie (die) family
Farbfernseher (der) colour television
Faxgerät (das) fax machine
fehlen to lack
Feierabend (der) leisure time, after work
Feinheit (die) subtlety
Fenster (das) window
Ferien (pl.) holidays
Feriengäste (pl.) vacationers
Ferienjob (der) holiday job
Ferienwohnung (die) holiday apartment
Fertigung (die) manufacture
festgesetzt fixed, set, determined
fettarm low in fat
Filiale (die) branch
Finanzabteilung (die) finance department
Finanzleiter/in (der/die) finance manager/ess
finden to find
Firma (die) firm, company
Fischgericht (das) fish dish
Fließband (das) assembly line
fließend fluent
fliegen to fly
Flug (der) flight
Fluggäste (pl.) passengers (on flight)
Flughafen (der) airport
Flugschein (der) ticket (plane)
Flugsteig (der) gate (airport)
Flugzeug (das) plane
Fotoapparat (der) camera
Frage (die) question
fragen to ask
Frau (die) woman
Freitag (der) Friday
Freizeitanlage (die) leisure facility
Fremdenverkehrsverband (der) tourist office
Fremdsprache (die) foreign language
freut mich! pleased to meet you!

günstig favourable
Gaststätte (die) cafe, restaurant
gebürtig born in...
Gefahrstoff (der) dangerous substance
gefallen to please
gegen against, about
Gegend (die) area, region
gegenseitig reciprocal, mutual
gegenwärtig current, present
Gehalt (das) salary
gehen to go, walk
Geldpolitik (die) monetary policy

gemütlich pleasant, cosy
genehmigen to approve, consent to
Gepäck (das) luggage
geradeaus straight on
gerne willingly, gladly
Gesamthochschule (die) comprehensive university
Geschäftsführer/in (der/die) manager
Geschäftsmann (der) businessman
Geschäftsreise (die) business trip
geschehen to happen
Gesellenzeit (die) apprenticeship
Gesellschaft (die) company, society
Gesellschaftswissenschaft (die) social science
gestern yesterday
Gesundheit (die) health
Getränk (das) drink
gewähren to grant, give
Gewerkschaftsbund (der) trade union confederation
gewiß certain, certainly
giftig poisonous
Girokonto (das) giro account
gleich immediately, equal
Gleis (das) track, platform (station)
GmbH (= Gesellschaft mit beschränkter Haftung) (die) company with limited liability
Gründung (die) founding, foundation
Grenze (die) border
gurten to fasten seat belt
Gymnasium (das) grammar school

Hälfte (die) half
hören to hear
Haftung (die) liability
Halbpension (die) half board
Hallenbad (das) indoor swimming pool
Haltestelle (die) bus, tram stop
Handelskorrespondenz (die) business correspondence
Handelsschule (die) business school, college
Handtasche (die) handbag
Hauptbahnhof (der) main station
Hauptsitz (der) head office
Hausaufgaben (pl.) homework
Haustiere (pl.) pets
heißen to be called, named
Herbst (der) autumn
herstellen to manufacture
Hersteller (der) manufacturer
Herstellung (die) manufacture
heute today
hier here
Hilfsmaßnahmen (pl.) aid measures
hoffentlich I hope
husten to cough

inbegriffen included
Industriegewerkschaft (die) industrial trade union
Industriestadt (die) industrial city
Inflationsrate (die) rate of inflation
Informationsschalter (der) information desk
insgesamt in total, on the whole
Interregio (der) interregional train
inzwischen in the meantime

Jahr (das) year
Jahrhundert (das) century
jetzt now
jugendlich young
Jugendliche/r young person

können to be able to
körperlich physical
Küche (die) kitchen
Kantine (die) canteen
Kartoffel (die) potato
Kasse (die) cash desk
Katalog (der) catalogue
kaufen to buy
Kaufhaus (das) department store
Kegelbahn (die) skittle alley
Kellner (der) waiter
Kellnerin (die) waitress
kennen to know
kennenlernen to make the acquaintance of
Kernbereich (der) central area, specialist area
Kfz (= Kraftfahrzeug) (das) vehicle
Kinderliege (die) baby's seat (car)
Kindersitz (der) child seat
Kino (das) cinema
Kirche (die) church
Klavier (das) piano
klein small
Kleingeld (das) small change
Kneipenbummel (der) pub crawl
Knie (das) knee
Konditor (der) baker, confectioner
Konkurrenz (die) competition
Konsument (der) consumer
Konsumgüter (pl.) consumer goods
Konsumzeit (die) age of consumerism
Konto (das) account
Kontonummer (die) account number
Kontostand (der) balance, state of account
Kopfschmerzen (pl.) headache
kostspielig expensive
krank ill
Krankenhausapotheke (die) hospital pharmacy
Krankenkasse (die) health insurance fund

Krebs (der) cancer
Kreuzung (die) crossroads
Kunde (der) customer
Kundschaft (die) custom
Kunst (die) art
Kunststoffverarbeitung (die) plastics processing
kurzfristig short-term

Lärmbelästigung (die) noise pollution
löschen to extinguish
Ladeneröffnungszeiten (pl.) shop opening hours
Lage (die) situation
Lagerhalle (die) warehouse
Land (das) country, state
Landeswährung (die) national currency
Landeszentralbank (die) national central bank
Landschaft (die) landscape
langfristig long-term
langweilig boring
Lebenslauf (der) curriculum vitae
Lebensmittel (pl.) food
Leder (das) leather
Lederwaren (pl.) leather goods
ledig single
leerstehend empty
leichtverdaulich easily digestible
leider unfortunately
Leistungskurs (der) main subject (Abitur)
Leiter/in (der/die) manager/ess
Lichtbild (das) photo
Lieblingsfach (das) favourite subject
Lieferant (der) supplier
liefern to deliver
Lieferung (die) delivery
Lieferzeit (die) delivery time
links left, to the left
Lokal (das) pub

möglich possible
möglicherweise possibly
müde tired
müssen to have to
machen to do, make
Mahlzeit (die) meal
manchmal sometimes
Marktlücke (die) gap in the market
Maschine (die) machine
Maschinenbau (der) engineering
Maschinenbaufirma (die) engineering company
Maschinenreihe (die) series of machines
Mehrwertsteuer (die) VAT
Messe (die) trade fair
Mietwohnung (die) rented flat
mindestens at least
Mitarbeit (die) cooperation, work
Mitarbeiter/in (der/die) colleague, fellow-worker
Mittag (der) midday
Mittagspause (die) lunch break
mitteilen to inform
Mitteilung (die) message
Mitternacht (die) midnight
Mittwoch (der) Wednesday
Moment (der) moment (time)
Monat (der) month
Montag (der) Monday
Morgen (der) morning
morgen tomorrow

Nässe (die) damp, wet
nach after, to
Nachfrage (die) demand
Nachfrageboom (der) boom in demand
Nachfragerückgang (der) decline in demand
Nachricht (die) item of news, information
nachschlagen to look up
Nacht (die) night
Name (der) name
natürlich of course, naturally
Naturschutzgebiet (das) nature conservation area
Naturwissenschaft (die) natural science
nehmen to take
nett nice
neu new
Neurochirurgie (die) neurosurgery
Nichtraucher (der) non-smoker
Niedergang (der) decline
Niederlassung (die) branch
noch still
Notdienst (der) emergency service
Notdienstbereitschaft (die) emergency service call, rota
nur only

Ober (der) waiter
Oberstufe (die) upper school
öffentlich public
Ortschaft (die) locality
Ostern Easter

Paß (der) passport
Paket (das) package, parcel
Parkplatz (der) car park
Partnerschaft (die) partnership
Partnerstadt (die) twin town
Pauschalangebot (das) inclusive offer
Pauschalreise (die) package tour, trip

Personalausweis (der) identity card
Personalleiter/in (der/die) personnel manager/ess
Personenkraftwagen (der) private vehicle
Pfund (das) pound
planmäßig according to schedule
Postamt (das) post office
Postfach (das) p.o. box
Praktikum (das) industrial placement
Praline (die) chocolate
Praxis (die) practice
Praxisgemeinschaft (die) joint practice
Preis (der) price
Preisliste (die) price list
Preissteigerung (die) price increase
preiswert cheap, good value
prickeln to prickle, irritate
Produktpalette (die) range of products
Prognose (die) forecast
Prospekt (der) prospectus, brochure
Prozent (das) percent

Rückfahrkarte (die) return ticket
Rückflug (der) return flight
Rückgang (der) recession, decline
Rückseite (die) reverse side
Rücksitz (der) rear seat
Rabatt (der) discount
Raststätte (die) (motorway) services
rechnen to calculate
Rechnung (die) bill
Recht (das) right, law
Rechtsanwaltsgehilfin (die) legal assistant, secretary
rechtzeitig timely, on time
regelmäßig regular
Regierung (die) government
Reihe (die) series
Reise (die) trip, journey
Reisepaß (der) passport
Reisescheck (der) traveller's cheque
Reisetasche (die) travel bag, holdall
Rentner/in (der/die) pensioner
richtig right, correct
Ruf (der) reputation

Sachbereich (der) specialist area
Sache (die) matter, subject
sagen to say, tell
sammeln to collect
Sammelunterkunft (die) communal accommodation
Sammler/in (der/die) collector
Samstag (der) Saturday
schätzen to value, estimate
schön beautiful, fine
schaffen to create, make
Schalter (der) counter, switch
Scheck (der) cheque
Schichtarbeit (die) shift work
schicken to send
Schiffbaubetrieb (der) shipbuilding company
Schiffbauunternehmen (das) shipbuilding company
Schirm (der) umbrella
Schlange (die) queue
schlecht bad
schließen to close
Schnellzug (der) fast train
Schnitzel (der/das) escalope
schon already
schreiben to write
Schreibmaschine (die) typewriter
Schuh (der) shoe
schulden to owe
Schulden (pl.) debts
schwierig difficult
sehen to see
sehr very
sein to be
seit since
Sekretär/in (der/die) secretary
selbständig independent
selbsttätig self-employed
selbstverständlich of course
Sendung (die) consignment
setzen to set, put
setzen (sich) to sit down
Sitz (der) seat
sitzen to sit
sogenannt so-called
Sohn (der) son
Sonnabend (der) Saturday
Sonntag (der) Sunday
sonst otherwise, else
Sortiment (das) selection, range
spät late
Spülautomat (der) dishwasher
Spülmaschine (die) dishwasher
sparen to save
Spargelder (pl.) savings
Sparkasse (die) savings bank
Sparkonto (das) savings account
spielen to play
Spitzenmodell (das) top model
Spitzenreiter (der) leader
Sprachkenntnisse (pl.) knowledge of foreign languages

sprechen to speak
Staatsexamen (das) state examination
stellen to put, place
Steuerberater/in (der/die) tax advisor
steuerlich fiscal
stimmt that's right
Stimmung (die) mood, atmosphere
Straßenarbeiten (pl.) roadworks
Strukturwandel (der) structural change
Studienschwerpunkt (der) main studies
Stunde (die) hour
(im) Stundentakt hourly (trains, etc.)

täglich daily
tätig active
Tätigkeit (die) activity, job
Tag (der) day
Tagung (die) meeting, convention
Tankstelle (die) service station
Tankwart (der) pump attendant
Tasse (die) cup
Taubheit (die) deafness
teilnehmen to participate
Teilnehmer/in (der/die) participant
teilweise partly
Telefon (das) phone
Telefonzelle (die) telephone booth
Termin (der) appointment
Terminkalender (der) diary, appointment book
teuer dear, expensive
Tiefgarage underground car park
Tochter (die) daughter
treffen to meet
Treppe (die) stairs
Treuhand (die) organisation responsible for sale of companies in the ex-GDR
trinken to drink
Turnhalle (die) gymnasium

überfüllt overcrowded
übergewichtig overweight
überladen to overload
übermorgen the day after tomorrow
übernachten to stay overnight
Übernachtung (die) overnight stay
übersetzen to translate
Übersetzungsabteilung (die) translation department
Überstunden (pl.) overtime
übertragen to transfer
überweisen to transfer
überwiegend primarily, predominantly
überzogen overdrawn (bank account)
üblich usual, customary
übrigens besides, moreover
Uhr (die) clock, watch
um at, about, around
Umfeld (das) surrounding area
Umfrage (die) opinion poll, survey
Umgangsformen (pl.) manners, know-how, savoir-faire
Umgebung (die) surroundings
umständlich awkward, tricky
Umstellung (die) change
umtauschen to exchange
Umweltbelastung (die) environmental pollution
unabhängig independent
Unabhängigkeit (die) independence
ungeduldig impatient
unterbringen to accommodate
Unterhaltung (die) conversation, entertainment, maintenance
Unterlagen (pl.) documents
Unterschied (der) difference
unterschreiben to sign
Unterschriftsprobe (die) specimen signature
Urlaub (der) holiday, leave
ursprünglich originally

Veranstaltungsraum (der) conference room, meeting room
Verantwortung (die) responsibility
verbessern to improve
verbinden to connect
Verbindung (die) connection
verbringen to spend (time)
verdienen to earn
Vereinbarung (die) agreement
nach Vereinbarung by agreement
vergessen to forget
Vergleich (der) comparison
Verhältnisse (pl.) conditions, circumstances
verheiratet married
Verkäufer/in (der/die) salesman/woman
Verkaufsabteilung (die) sales department
Verkaufslage (die) sales position, situation
Verkaufsleiter/in (der/die) sales manager/ess
Verkaufszahlen (pl.) sales figures
Verkehr (der) traffic
Verkehrsamt (das) tourist office
Verkehrsmittel (pl.) means of transport
Verkehrsstau (der) traffic jam
verlieren to lose
verpassen to miss
Versandhaus (das) mail order company
verschieden various, varied
Verspätung (die) delay

Vertreter/in (der/die) representative
Vertrieb (der) sales
Verwaltung (die) administration
verwandschaftlich related
Verwandte (pl.) relatives
Vogelschutzgebiet (das) bird sanctuary
Volkswirtschaft (die) national economy
vollautomatisch fully automated
Vollpension (die) full board
volltanken to fill up (petrol)
vor before
vorläufig temporary, for the time being
vorne here, in front
Vorschlag (der) suggestion
Vorsicht (die) caution
vorsichtig cautious, careful
Vorstand (der) board (of company), chairman
Vorstandsebene (die) board level
vorstellen to introduce
Vorstellungsgespräch (das) interview
Vorteil (der) advantage
vorziehen to prefer

Währung (die) currency
Waage (die) scales
Wachstum (das) growth
wahr true
wahrscheinlich probably
wann? when?
warum why
Waschmaschine (die) washing machine
Wechselkurs (der) exchange rate
wechseln to change, exchange
Wechselstube (die) bureau de change
Weihnachten (die) Christmas
Weinstube (die) wine bar
weit far
weltberühmt world famous
weltweit worldwide
wer who
Werbekampagne (die) advertising campaign
werben to advertise
Werft (die) wharf, shipyard
Werkstatt (die) workshop, shop floor
Wertpapier (das) bond
wesentlich essentially
widerrufen to cancel
wie how
wieder again
auf Wiederhören goodbye (on telephone)
wiederholen to repeat
auf Wiederschauen goodbye
auf Wiedersehen goodbye
Wiedervereinigung (die) reunification
wieviel how much
wirklich really
wirtschaftlich economic, economically
Wirtschaftsforschungsinstitut (das) economics research institute
Wirtschaftslage (die) economic situation
wo where
Woche (die) week
Wochenende (das) weekend
woher where from
Wohlstand (der) affluence
wohlwollend favourably
wohnen to live
Wohnung (die) flat

zahlen to pay
Zahlungsmittel (das) means of payment
Zahnarzt (der) dentist
Zahncreme (die) toothpaste
Zahnmedizin (die) dentistry
Zentralnotenbank (die) central bank of issue
Zentrum (das) centre
Zerstörung (die) destruction
Zeugnis (das) report, certificate
ziemlich quite
Zimmer (das) room
Zimmerschlüssel (der) room key
Zinsen (pl.) interest
zufrieden satisfied
Zug (der) train
zumindest at least
zunehmen to increase
zurück back
zurückgehen to return, go back
zusammen together
zuständig relevant, appropriate
Zweibettzimmer (das) twin room
zweisprachig bilingual